Techniques de Visualisation Creatrice

SHAKTI GAWAIN

 Editions Vivez Soleil

(NOS DERNIERES PARUTIONS :)

Collection Expériences spirituelles :

* **Créer l'Abondance, Manuel de propérité**
  Sanaya Roman et Duane Packer
* **Messages d'un bébé avant sa naissance**
  Manuel David Coudris
* **Le trésor de l'El Dorado**
  Joseph Whitfield
* **La quête éternelle**
  Joseph Whitfield

Collection Développement Personnel :

* **Au coeur de la nature**
  Michael J. Roads
* **Les sages à la robe prune**
  Fun Chang
* **Réussir, Vaincre par la sophrologie**
  Dr Raymond Abrezol
  et sa cassette audio : La Réussite par la sophrologie

Catalogue complet livres et cassettes sur demande

Neuvième édition : 1991
1978 © Shakti Gawain
Antwork Rainbow Canyon
Copyright © 1984 Editions Soleil
32 avenue Petit-Senn - CH - Chêne-Bourg / GENEVE
ISBN : 2-88058-020-X

LES ÉDITIONS VIVEZ SOLEIL

Nous sommes de plus en plus nombreux à désirer nous rapprocher de la nature, donner une part plus grande à la créativité personnelle et vivre pleinement dans un monde en changement constant. Pour cela, il nous faut découvrir les principes de santé et d'harmonie nous permettant d'améliorer notre relation avec nous-mêmes, nos proches et le monde dont nous faisons partie.

Les méthodes de santé sont actuellement multiples et variées. Qu'elles soient issues des traditions anciennes ou des études scientifiques modernes, il est important de percevoir leur complémentarité pour faire ensuite librement ses choix et agir en se prenant en charge.

Tel a été le message de la FONDATION SOLEIL qui a œuvré pendant douze ans pour la pédagogie de la santé, avec le principe de *proposer sans imposer, informer sans prendre parti.*

S'inspirant de cette démarche, les ÉDITIONS VIVEZ SOLEIL présentent des chemins possibles, montrent des directions, en se situant au-delà des querelles d'école et en respectant les convictions et préférences de chacun. D'un livre à l'autre se multiplient les occasions de prise de conscience et de compréhension. Si les expériences proposées nous attirent, nous sommes invités à *vivre toujours plus au pays du bien-être :* favoriser notre santé et notre épanouissement, développer nos ressources personnelles et notre connaissance de nous-mêmes dans une approche globale tenant compte de toutes les dimensions de l'être humain : physique, émotionnelle, mentale et spirituelle.

Elaborés par un groupe de personnes de tous horizons réunies par leur intérêt pour la pédagogie de la santé, les livres signés "Docteur Soleil" présentent la synthèse des études menées sur un sujet donné. A la portée de tous, ils sont rédigés dans un langage simple et avec humour. Comme tous les livres des ÉDITIONS VIVEZ SOLEIL, ils ne sont pas destinés à nous intellectualiser davantage, mais à nous inciter à sortir du monde des limitations pour entrer dans une conscience de la vie plus large, plus drôle, plus libre, plus dense et plus palpitante.

Les ÉDITIONS VIVEZ SOLEIL publient également des cassettes dont la plupart complètent les livres.

Pour tout renseignement :
EDITIONS VIVEZ SOLEIL. - 32, avenue Petit-Senn
CH - 1225 Chêne-Bourg, Genève
Tél. (022) 49 24 70

Table des matières

INTRODUCTION

Edward Bach, médecin homéopathe anglais, a écrit « toute maladie n'est que la conséquence des influences que nous avons subies ».

En effet, notre corps a été construit par la nature pour fonctionner parfaitement et se régénérer constamment. L'éducation et les contraintes sociales nous apprennent à vivre contre nature, à faire violence à notre corps, à obéir aux idées reçues et à ne plus respecter les conseils que nous prodiguent notre instinct et notre intuition. Nous vivons d'une façon qui engendre troubles de santé et maladies.

Pour nous délivrer des habitudes qui empoisonnent notre vie, prenons en main notre éducation et retrouvons progressivement l'harmonie avec nous-même et avec la nature sans laquelle la santé ne saurait exister.

En apprenant à créer des images, nous donnons l'occasion à nos désirs profonds de se manifester peu à peu dans notre existence. Pour vivre une expérience, il faut d'abord la « rêver ». Par la visualisation nous développons notre pouvoir de création et découvrons que nous avons la possibilité de choisir consciemment ce que nous voulons vivre. Plutôt que de subir des situations dans lesquelles nous dépendons d'autrui, ou de nos conditionnements, nous devenons les artisans de chaque instant, les créateurs de notre réalité quotidienne.

Les Editions Soleil sont heureuses de présenter en français cet ouvrage qui est devenu, dans les pays anglo-saxons, un extraordinaire best-seller parmi les livres utiles à l'apprentissage de l'équilibre individuel.

Plutôt que d'attendre que le monde s'améliore autour de vous, transformez vos modes de penser en visualisant toujours plus de santé, d'épanouissement et de joie de vivre. Vous découvrirez avec plaisir que « le bonheur comme la santé, ça s'apprend » !

Les Editions Vivez Soleil

PREMIÈRE PARTIE

Fondements de la visualisation créatrice

Infinie est la créativité de chaque instant de votre vie,
Infinie la richesse de l'univers.
Exprimez vos désirs clairement
et vos souhaits ne peuvent qu'être exaucés.

Qu'appelle-t-on
visualisation
créatrice ?

La visualisation créatrice est la technique qui utilise l'imagination afin de réaliser ses désirs. Elle n'a rien de nouveau, d'insolite ou d'étrange puisque chaque jour, à chaque instant même, vous vous en servez. C'est la puissance naturelle de l'imagination, l'énergie créatrice fondamentale de l'univers à laquelle vous avez recours constamment, que vous en soyez conscient ou non.

Dans le passé, beaucoup d'entre nous ont utilisé leur pouvoir de visualisation créatrice de manière relativement inconsciente. Nos idées négatives sur la vie, profondément enracinées, nous ont fait attendre et imaginer, inconsciemment et automatiquement, les lacunes, limitations, difficultés et autres problèmes comme étant notre lot dans la vie. En fait, nous les avons plus ou moins créés nous-mêmes de toutes pièces.

Ce livre vous apprendra comment utiliser votre puissance d'imagination innée de plus en plus consciemment et en faire une technique pour créer ce que vous désirez *vraiment* : amour, plénitude, joie, relations satisfaisantes, travail gratifiant, expression de soi, santé, beauté, prospérité, paix et harmonie intérieure ...tout ce que vous désirez du fond du cœur. La visualisation créatrice vous ouvre les portes de la générosité et de l'abondance naturelle de la vie.

L'imagination est votre aptitude à créer dans votre esprit une idée ou une image mentale. Dans le cas de la visualisation créatrice, votre imagination vous permet de créer une image précise de ce que vous désirez voir se produire, puis de porter régulièrement votre attention sur cette image ou idée, lui fournissant une énergie positive jusqu'à ce qu'elle devienne une réalité objective...en d'autres termes, jusqu'à ce que vous accomplissiez réellement ce que vous avez visualisé.

Votre objectif peut se situer à n'importe quel niveau : physique, émotionnel, mental ou spirituel. Vous pouvez vous imaginer dans une nouvelle maison, ou bien avec un nouveau travail, ou vivant des relations harmonieuses, ou encore de calme et de sérénité, ou peut-être jouissant d'une meilleure mémoire et d'une plus grande faculté d'assimilation. Vous pouvez également vous voir maîtriser une situation délicate sans le moindre effort, ou tout simplement vous imaginer comme un être rayonnant, rempli d'amour comme un être d'amour et de lumière. Quel que soit le plan sur lequel porte votre travail, vous obtiendrez des résultats... avec l'expérience vous trouverez les images et les techniques particulières qui vous conviennent le mieux.

Prenons un exemple : vous avez du mal à vous entendre avec une certaine personne, et pourtant vous aimeriez vivre avec elle des relations harmonieuses ; après vous être détendu et avoir atteint un état d'esprit profondément serein et méditatif, vous imaginez mentalement que vous communiquez avec cette personne d'une façon ouverte, franche et harmonieuse. Ayez l'impression que votre image mentale appartient au domaine du possible, vivez-la comme si déjà elle se réalisait.

Renouvelez souvent ce petit exercice facile, environ deux ou trois fois par jour, ou chaque fois que vous y pensez. Si vous êtes sincère dans votre désir et votre intention, véritablement prêt au changement, alors bientôt vous remarquerez que cette relation devient plus facile, plus fluide, et que la communication avec cette personne devient plus aisée et plus agréable. Finalement vous verrez le problème disparaître totalement, d'une façon ou d'une autre, pour le plus grand bien de chacun d'entre vous.

Il convient de noter, à ce stade de l'exposé, que cette technique *ne peut en aucun cas* servir à «contrôler» le comportement d'autrui ou à forcer qui que ce soit à agir contre son gré. La visualisation créatrice vise à résoudre nos blocages intérieurs, obstacles à l'harmonie naturelle et à la réalisation de soi, et ainsi permettre à chacun d'actualiser le meilleur de lui-même.

La pratique de la visualisation créatrice ne requiert aucune croyance métaphysique ou spirituelle particulière, même si vous devez accepter l'idée de considérer certains concepts comme possibles. Il n'est pas non plus nécessaire « d'avoir foi » en une quelconque puissance extérieure à vous-même. Il vous suffit de vouloir enrichir votre connaissance et vos expériences et d'avoir une ouverture d'esprit permettant d'être bien disposé à essayer une pratique nouvelle.

Etudiez les principes, essayez les techniques avec un cœur et un esprit ouverts, et ensuite seulement jugez si elles vous sont utiles.

Si tel est le cas, continuez à les pratiquer et à les développer, et très vite les changements que vous connaîtrez dans votre vie dépasseront certainement tout ce dont vous aviez rêvé...

La visualisation créatrice est « magique » dans le sens le plus authentique et le plus élevé du terme, impliquant une compréhension de soi en relation avec les lois naturelles qui régissent notre univers, nous demandant une harmonie de vivre avec ces lois et de les utiliser de la façon la plus consciente et la plus créative.

Si l'on vous décrit une magnifique fleur ou un somptueux coucher de soleil alors que vous n'en avez jamais vu, pour vous cela peut relever du miracle (et d'ailleurs c'est un miracle !) ; mais dès que vous commencez à expérimenter par vous-même et à découvrir un peu comment fonctionnent les lois de la nature qui régissent ces phénomènes, vous commencez à comprendre comment ils se produisent et ils vous semblent alors naturels, sans mystère particulier.

Il en est de même du processus de la visualisation créatrice. Ce qui d'emblée peut paraître étonnant, voire impossible à nos esprits modelés par une éducation très limitée et très rationnelle, devient parfaitement compréhensible une fois que les concepts sous-jacents sont connus et utilisés.

Dès que vous connaîtrez et utiliserez ces concepts, vous aurez l'impression d'accomplir des miracles...en vérité, c'est bien ce que vous ferez!

Mécanismes
de la visualisation
créatrice

Afin de mieux comprendre le fonctionnement de la visualisation créatrice, considérons quelques principes de base :

L'univers physique est énergie

Le monde de la science commence à découvrir ce que les métaphysiciens et les maîtres spirituels connaissaient déjà depuis des siècles. Notre univers physique n'est en fait pas du tout constitué de « matière » ; son composant fondamental est une sorte de force ou d'essence que l'ont peut appeler *énergie*.

C'est au niveau où nos sens physiques perçoivent communément les choses que ces dernières nous apparaissent solides et distinctes les unes des autres. Par contre, à des niveaux plus subtils, tels que les niveaux atomiques ou subatomiques, la matière apparemment solide se révèle sous la forme de particules de plus en plus fines, les unes à l'intérieur des autres, pour finalement se réduire à l'état d'énergie pure.

D'un point de vue physique, nous sommes tous énergie, et, en nous comme autour de nous, tout est énergie. Nous sommes tous partie intégrante d'un grand champ d'énergie. Les objets que nous percevons comme étant solides et séparés ne sont à vrai dire que des formes différentes de cette énergie essentielle que nous avons tous en commun. Nous tous ne faisons qu'un, même au sens littéral et purement physique.

Cette énergie vibre à des vitesses différentes qui lui confèrent des qualités différentes, du plus subtil au plus grossier. La pensée est de l'énergie sous une forme relativement subtile et légère et donc capable d'assumer des modifications facilement et rapidement. La matière quant à elle, étant de l'énergie sous un aspect plutôt dense et compact, se transforme et se déplace plus lentement. Au sein même de la matière on trouve également de grandes variations : la chair vivante, relativement raffinée, se modifie vite, et de nombreux facteurs peuvent l'affecter, alors qu'un rocher, étant une forme plus dense, se transformera plus lentement et sera plus difficile à affecter. Cependant, même le roc finit par subir l'influence d'une énergie raffinée et légère, celle de l'eau par exemple. Tous les aspects de l'énergie sont en interaction les uns avec les autres et s'influencent mutuellement.

L'énergie est magnétique

Une des lois de l'énergie est la suivante : une énergie d'une qualité et d'une vibration particulières tend à attirer l'énergie de même qualité et de même vibration.

Pensées et sentiments possèdent leur propre énergie magnétique attirant l'énergie d'une nature identique. On se rend très bien compte de ce principe lorsque, par exemple, on rencontre « par hasard » quelqu'un à qui l'on vient juste de penser, ou lorsqu'on « tombe » sur un livre concernant exactement l'information dont on avait besoin à ce moment précis.

La forme suit l'idée

La pensée est un aspect de l'énergie mobile et rapide. Elle se manifeste instantanément, contrairement aux aspects plus denses tels que la matière.

Lorsque nous créons quelque chose, la forme pensée en est toujours la première étape. La pensée ou l'idée précède toujours la concrétisation, l'action. « Je vais faire à manger » est l'idée qui précède la préparation du repas. On pensera « je veux une nouvelle robe » avant d'aller en acheter une, ou bien « il me faut du travail » avant d'en trouver un, et ainsi de suite.

Avant de peindre une toile, l'artiste en a d'abord l'idée, ou l'inspiration. L'architecte doit concevoir les plans d'une maison avant que la construction puisse commencer.

L'idée est comme un projet, elle crée une image de la forme qui ensuite magnétise et dirige le courant d'énergie physique dans cette forme, pour finalement la faire se manifester sur le plan physique.

Même si l'on n'a pas directement recours à une action physique pour manifester ses idées, le principe reste le même. Le seul fait d'avoir une idée ou une pensée et de la garder présente à l'esprit mobilise une énergie qui tendra à attirer et à créer la forme correspondante sur le plan matériel. A penser constamment à la maladie, on finit par tomber malade. Pensez que vous êtes merveilleux et vous le devenez.

La loi de rayonnement et d'attraction

Il s'agit du principe selon lequel toutes vos pensées, paroles ou actions générées dans l'univers vous reviennent. « On récolte ce que l'on sème. »

D'un point de vue pratique, cela veut dire que nous attirons à nous ce à quoi nous pensons le plus, ce à quoi nous croyons avec le plus de conviction, ce que nous souhaitons et plus profondément et imaginons avec le plus de force, quelle que soit cette pensée.

Lorsque nous sommes négatifs et sous l'emprise de la peur, insécurisés ou anxieux, nous avons tendance à attirer les expériences, situations ou personnes mêmes que nous cherchons justement à éviter. Si nous sommes fondamentalement positifs, enclins au plaisir, à la satisfaction et au bonheur, les gens que nous attirerons, les situations et les événements que nous créerons seront conformes à nos dispositions positives. C'est pourquoi, plus nous mettons d'énergie positive dans ce que nous imaginons, plus cela a tendance à se réaliser dans notre vie.

Application de la visualisation créatrice

Le processus de changement dont nous parlons ne se produit pas de façon superficielle, sur la seule base d'une «pensée positive»: il implique l'exploration, la découverte et la modification de nos attitudes les plus fondamentales envers la vie. C'est pourquoi apprendre à pratiquer la visualisation créatrice peut déboucher sur un processus de croissance profonde et significative. Au cours de ce processus nous découvrons souvent des domaines dans lesquels nous nous sommes inhibés et limités parce que nos peurs et nos concepts négatifs nous ont fermé les portes de la satisfaction et de la plénitude. Une fois ces attitudes restrictives clairement perçues, la visualisation créatrice peut les éliminer et nous permettre de retrouver et de vivre notre état normal et naturel de bonheur, de plénitude et d'amour.

Pour commencer, vous pouvez pratiquer la visualisation créatrice à des moments particuliers, dans des buts précis. Lorsque vous vous serez habitués à l'utiliser et que vous aurez pris confiance dans les résultats qu'elle apporte, vous verrez qu'elle devient partie intégrante de votre processus de pensée, un état de conscience permanent dans lequel vous savez que vous êtes constamment le créateur de votre vie.

C'est l'état ultime de la visualisation créatrice,

celui qui fait de chaque instant de notre vie le théâtre d'une merveilleuse création et nous permet de choisir spontanément l'existence la meilleure, la plus belle et la plus comblée que nous puissions imaginer...

Un exercice facile
de visualisation
créatrice

Voici maintenant un exercice de base en matière de visualisation créatrice.

Tout d'abord, pensez à quelque chose qui vous ferait plaisir. Choisissez quelque chose de simple, *facile* à imaginer. Il peut s'agir d'un objet que vous aimeriez posséder, d'un événement que vous voudriez voir se produire, d'une situation dans laquelle vous aimeriez vous trouver ou d'un aspect de votre vie que vous souhaiteriez améliorer.

Installez-vous confortablement, assis ou couché, dans un endroit calme où vous ne risquez pas d'être dérangé. Détendez complètement votre corps, en commençant par les orteils et en remontant jusqu'au sommet de la tête; pensez à détendre chaque muscle tour à tour, laissant toutes les tensions s'éliminer de votre corps. Respirez profondément et lentement, avec le ventre, et compter à rebours de dix à un en ressentant que votre corps se détend de plus en plus au fur et à mesure que vous comptez.

Lorsque vous vous sentez profondément relaxé, commencez à imaginer l'objet de votre désir, dans ses moindres détails; figurez-vous que vous êtes avec cet objet, que vous l'utilisez, l'admirez, l'appréciez, le montrez à vos amis. Si vous désirez travailler sur une situation ou sur un événement, placez-vous dans la scène et imaginez que tout se déroule comme vous le souhaitez; mettez-y même les propos des différents personnages ou tout autre détail pouvant rendre le tableau plus réel.

Vous pouvez imaginer tout cela en un clin d'œil ou bien en vous accordant quelques minutes, selon ce qui vous convient le mieux. Amusez-vous : cette expérience doit être tout à fait agréable, soyez comme un enfant qui rêve à ses cadeaux d'anniversaire.

Maintenant, tout en gardant à l'esprit l'image ou l'idée, formulez mentalement une affirmation très positive (cela peut être énoncé à haute voix si vous préférez), quelques mots du genre :

« *Me voilà en week-end à la montagne, c'est merveilleux, quelles vacances réussies !* » ou « *Ah, maintenant je suis avec* _____ *et nous nous entendons à merveille, nous apprenons vraiment à nous connaître.* »

Ces assertions positives, appelées affirmations, sont de la plus haute importance en visualisation créatrice ; nous y reviendrons de façon plus détaillée.

Terminez toujours votre séance de visualisation en vous disant fermement :

« Ce désir, ou quelque chose de mieux encore, se réalise maintenant pour moi de la manière la plus satisfaisante et harmonieuse, et pour le plus grand bien de tous. »

Cette démarche ménage la possibilité qu'une autre chose, peut être meilleure que celle que vous avez envisagée se produise ; elle vous rappelle également que ce processus ne fonctionne que s'il ne lèse personne.

Ne résistez pas aux doutes ni aux pensées contradictoires qui surviendraient ; n'essayez pas non plus de les empêcher de venir, cela leur donnerait une puissance qu'ils n'auraient pas autrement. Laissez-les traverser votre conscience, puis reprenez vos images et vos affirmations positives.

Ne poursuivez votre pratique que dans la mesure où le processus demeure agréable et intéressant.

Cela peut durer cinq minutes comme cela peut durer une demi-heure. Pratiquez quotidiennement ou aussi souvent que vous le pouvez.

Comme vous pouvez le constater, le processus de base est plutôt simple. Cependant, pour l'utiliser de façon vraiment efficace, il est nécessaire de le comprendre et de le raffiner un peu plus.

De l'importance
de la relaxation

Il est important de vous détendre profondément lors de vos premiers pas en visualisation
créatrice. Lorsque votre corps et votre esprit sont
bien relaxés, vos ondes cérébrales se ralentissent.
Ce niveau plus profond et plus lent est communément appelé niveau alpha (notre état de conscience
de veille, actif, est lui appelé niveau bêta) et de
nombreuses recherches scientifiques s'intéressent à
ses effets.

Ce niveau alpha a des conséquences très béné-
fiques au niveau de la santé, en raison des effets
relaxants qu'il produit sur l'esprit et le corps. Et il
est intéressant de noter qu'il s'avère bien plus efficace que le niveau bêta, (plus actif) pour créer par

la visualisation des modifications dans le monde prétendu objectif. Concrètement parlant, cela signifie que si vous apprenez à vous détendre profondément et à pratiquer la visualisation créatrice, vous arriverez à changer votre vie bien mieux qu'en y pensant, en vous tourmentant, en faisant des projets et en essayant de manipuler les choses et les gens.

Si vous avez déjà l'habitude d'une méthode particulière pour vous relaxer profondément et vous plonger dans un état méditatif et serein, utilisez-la ! Sinon, vous pouvez utiliser la méthode décrite dans le chapitre précédent : respirer lentement et profondément, détendre chaque muscle du corps à tour de rôle et compter à rebours lentement de dix à un. Si vous avez quelque difficulté à vous relaxer physiquement, il pourra se révéler utile d'apprendre une technique de yoga ou de méditation. Cependant, un peu d'entraînement à la relaxation sera généralement suffisant.

Bien sûr, la relaxation profonde aura en outre l'avantage d'être pour vous une source de santé, bénéfique aussi bien pour l'esprit que pour le corps.

Il est particulièrement approprié de pratiquer la visualisation créatrice le soir, juste avant de s'endormir, ou le matin au réveil, car l'esprit et le corps sont alors généralement très détendus et réceptifs. Peut-être aimez-vous visualiser couché dans votre lit, mais si vous avez tendance à vous endormir, il est alors préférable de vous asseoir confortablement, au bord de votre lit ou sur une chaise, la colonne vertébrale bien droite et stable.

Lorsque la colonne vértébrale est droite, l'énergie circule mieux, facilitant ainsi la production d'ondes alpha.

Une brève séance de méditation et de visualisation créatrice à midi vous détendra et vous rechargera, et votre journée s'écoulera avec plus de fluidité.

Comment visualiser

Nombreux sont ceux qui se demandent la signification exacte du mot « visualiser ». Certains s'alarment de ne pas voir véritablement une image mentale lorsqu'ils ferment les yeux et essayent de visualiser.

Ne vous arrêtez pas à ce terme « visualiser ». *Il n'est pas du tout indispensable de voir mentalement une image quelconque.* Pour certains, l'imagination produit des images très claires et précises. D'autres n'ont pas l'impression de « voir » vraiment une image, mais simplement de « penser à » une chose ou d'imaginer qu'ils la regardent, ou bien de prendre conscience d'un sentiment. C'est tout à fait correct. Nous utilisons tous notre imagination à chaque instant, ne pas le faire est impossible, donc, quel que soit le processus selon lequel vous imaginez, tout est pour le mieux.

Si toutefois vous n'êtes pas sûr d'avoir compris ce qu'est la visualisation, lisez chacun de ces exercices, puis fermez les yeux et essayez.

Fermez les yeux et détendez-vous profondément. Pensez à un endroit familier, tel que votre chambre ou votre salle de séjour, rappelez-vous certains détails: la couleur de la moquette, la disposition du mobilier, la luminosité ambiante. Imaginez ensuite que vous marchez dans cette pièce, que vous vous asseyez sur une chaise confortable ou vous allongez sur le divan ou sur le lit.

Maintenant remémorez-vous une expérience agréable que vous avez vécue quelques jours auparavant et de préférence impliquant des sensations physiques plaisantes. Par exemple: savourer un mets délicat, se faire masser, nager dans l'eau fraîche ou faire l'amour. Revivez cette expérience avec autant d'impact que possible et appréciez à nouveau les sensations de plaisir.

Ensuite, imaginez que vous êtes à la campagne, dans un décor idyllique, vous relaxant sur l'herbe verte et tendre, au bord d'une rivière, ou peut-être vous promenant dans une très belle forêt luxuriante. Il peut s'agir d'un endroit que vous avez déjà visité, ou bien du coin idéal où vous aimeriez vous rendre; créez-le selon votre désir et dans les moindres détails.

Le processus, quel qu'il soit, par lequel vous faites naître ces scènes à votre esprit, est votre manière à vous de « visualiser ».

Il y a en fait deux modes différents de visualisation créatrice, l'un réceptif, l'autre actif. Dans le cas du mode réceptif, on se détend et on laisse les images, les impressions venir sans en choisir les détails : on prend ce qui se présente. Par le mode actif, on choisit et crée délibérément ce que l'on désire voir ou imaginer. Ces deux processus constituent une partie importante de la visualisation créatrice dont la pratique renforcera et vos capacités réceptives et vos capacités actives.

Problèmes particuliers occasionnés par la visualisation

Il se peut, dans certain cas, qu'une personne ait complètement bloqué sa capacité à visualiser ou à imaginer à volonté et tout simplement « n'y arrive pas ». Ce genre de blocage provient généralement d'une peur et peut disparaître si la personne le désire vraiment.

Dans la plupart des cas, une personne bloque ses facultés de visualisation créatrice par peur de ce qu'elle peut rencontrer en regardant en elle-même : c'est la peur de ses propres émotions et sentiments inavoués.

Je me souviens d'un homme qui, dans un de mes cours, ne parvenait jamais à visualiser et s'endormait systématiquement pendant les méditations. Il apparut qu'il avait eu une expérience profondément troublante pendant une séance de visualisation et qu'il redoutait de se montrer devant les autres en proie à ses émotions.

En vérité, il n'y a *rien* en nous qui puisse nous choquer, nous sommes seulement enfermés dans la peur d'expérimenter nos propres sentiments.

Si quelque expérience insolite ou inattendue survient pendant la méditation, le meilleur remède est simplement de la regarder en face, de l'accepter et de la vivre autant que possible ; vous verrez alors qu'elle perdra toute emprise négative sur vous. Nos peurs viennent de ce que nous n'osons pas affronter les choses. Une fois que nous sommes décidés à regarder bien en face, en *profondeur*, la source de notre peur, nous lui ôtons tout pouvoir.

Heureusement, de tels problèmes avec la visualisation sont très rares. En règle générale, le processus vient naturellement, et plus on pratique la visualisation créatrice, plus elle devient facile.

Quatre étapes fondamentales pour une visualisation créatrice efficace

1. Fixez-vous un but

Décidez-vous pour quelque chose que vous aimeriez posséder, réaliser ou créer, pour un objectif que vous voudriez atteindre, à quelque niveau que ce soit : un emploi, une maison, une certaine relation, un changement dans votre personnalité, une aisance matérielle plus grande, un état d'âme plus heureux, une meilleure santé, la beauté ou une meilleure condition physique, ou n'importe quoi d'autre.

Commencez par des objectifs auxquels vous pouvez croire facilement et que vous pensez pouvoir atteindre dans un avenir proche, ainsi vous ne serez pas confronté à trop de résistances négatives en vous-même et vous apprendrez la visualisation créatrice avec un potentiel de sentiments de réussite accru. Par la suite, lorsque vous serez plus expérimenté, vous pourrez vous attaquer à des problèmes plus difficiles et plus audacieux.

2. Créer une image ou une idée claire

Créer une idée ou une image mentale de l'objet ou de la situation qui soit absolument conforme à ce que vous désirez. Pensez-y, au présent, comme si *déjà* cela existait comme vous le voulez. Imaginez-vous maintenant dans la situation telle que vous la souhaitez. Mettez-y autant de détails que possible.

Vous pouvez même représenter très concrètement votre objectif, en dressant une carte du trésor (nous en reparlerons davantage plus loin). C'est une étape facultive et non nécessaire, mais qui est souvent utile (et très amusante !).

3. Concentrez-vous souvent sur votre but

Mettez souvent votre esprit sur l'idée ou l'image mentale, durant les périodes calmes de méditation, et aussi de temps en temps pendant la journée, lorsque vous y pensez. Elle s'intégrera alors à votre vie, deviendra plus réelle à vos yeux, et vous réussirez mieux à la projeter.

Concentrez-vous clairement sur votre image mentale, mais avec légèreté, sans effort. Il est important de ne pas trop forcer ni d'y consacrer une quantité excessive d'énergie, ce qui serait plus un handicap qu'une aide.

4. Nourrissez votre but d'énergie positive

Lorsque vous concentrez votre attention sur votre but, faites-le de façon positive et encourageante. Faites-vous des déclarations positives inébranlables, par exemple : « Ça existe » ou bien « Ça y est, c'est fait » ou encore « C'est pour bientôt ! ». Imaginez-vous que vous touchez votre but ou que vous obtenez l'objet de votre désir. On appelle « affirmations » ces assertions positives. Quand vous utilisez des affirmations, essayez, temporairement, d'écarter tout doute, toute incrédulité, au moins pour le moment présent et essayez de ressentir que votre objectif est réel et possible.

Continuez cette pratique jusqu'à ce que vous réussissiez... ou que votre désir vous ait quitté. Rappelez-vous que souvent les buts changent avant même d'être réalisés, cela est naturel et fait partie du processus humain de changement et de croissance. N'essayez donc pas de prolonger ce désir plus longtemps que vous n'avez l'énergie nécessaire à lui consacrer. Si un désir ne présente plus d'intérêt à vos yeux, cela signifie peut-être qu'il est temps de remettre à jour vos objectifs.

Si vous pensez qu'un de vos buts a changé, assurez-vous en. Il doit être bien clair pour vous que vous ne lui accordez plus d'importance. Enterrez le passé et repartez d'un nouveau pied, cela vous évitera toute confusion ou tout sentiment « d'échec » vis-à-vis de ce qui n'est qu'un changement de désir.

Lorsque votre cible est atteinte, prenez bien conscience que vous en avez fini avec elle. Il arrive bien souvent que l'on réalise des désirs que l'on a visualisés, sans même se rendre compte que l'on a réussi ! Accordez-vous donc une marque d'appréciation, donnez-vous une petite tape dans le dos et n'oubliez pas de remercier l'univers d'avoir exaucé vos vœux.

La visualisation créatrice n'est efficace que pour les bonnes causes

Ne craignez rien, la puissance de la visualisation créatrice ne peut être utilisée à des fins négatives. Elle est un outil pour éliminer les obstacles que nous nous sommes créés et qui obstruent le flot naturel d'harmonie, d'abondance et d'amour de l'univers. La visualisation créatrice n'est vraiment efficace que lorsqu'elle sert nos buts les plus nobles, pour le grand bien de tous.

Si quelqu'un tentait d'utiliser cette puissante technique à des fins égoïstes, préjudiciables ou même destructrices, il ne ferait que démontrer son ignorance de la loi du Karma, identique au principe fondamental de rayonnement et d'attraction : « On récolte ce que l'on sème ». Tout ce que vous tentez de faire pour autrui vous reviendra comme un boomerang, qu'il s'agisse d'amour, d'aide ou de guérison, ou bien d'actions négatives et destructrices.

Cela veut dire, bien sûr, que plus la visualisation créatrice sera pour vous un moyen d'aimer, d'aider votre prochain et d'arriver à vos fins les plus louables, plus l'amour, le bonheur et le succès vous reviendront naturellement.

Afin d'être bien certain de ne pas oublier ce point il est bon de toujours inclure la phrase suivante dans vos séances de visualisation créatrice :

« *Ce désir, ou quelque chose de mieux encore, se réalise maintenant pour moi de la manière la plus satisfaisante et harmonieuse, et pour le plus grand bien de tous.* »

Par exemple, si vous visez une promotion dans votre travail, n'allez pas imaginer que le titulaire du poste convoité est renvoyé, mais plutôt qu'il se tourne vers quelque chose de mieux pour lui, vers un emploi plus satisfaisant, de sorte que votre souhait ne se réalise pas au détriment de cette personne.

N'essayez pas de comprendre, ni d'imaginer comment les choses vont se passer, ni de décider du moyen le plus approprié pour arriver à vos fins ; dites-vous simplement que tout va pour le mieux et laissez l'intelligence universelle prendre soin des détails !

L'affirmation

Les affirmations sont un des éléments les plus importants en visualisation créatrice. Affirmer signifie « rendre ferme ». Une affirmation est une déclaration énergique, positive que quelque chose est *déjà ainsi*. C'est un moyen de « raffermir » ce que vous imaginez.

La plupart d'entre nous sont conscients d'un « dialogue » intérieur presque incessant : l'esprit est occupé à se « parler » à lui-même, engagé dans un commentaire sans fin sur la vie, le monde, nos sentiments, nos problèmes, les autres, etc.

Les mots et les idées qui traversent notre esprit sont très importants. Nous ne sommes généralement pas conscients de leur flot, pourtant ce

« bavardage » intérieur est la base même de notre expérience de la réalité. Notre commentaire mental influence et colore nos sentiments, notre perception des événements de notre vie, et ce sont bien ces formes-pensées qui finalement attirent et créent tout ce qui nous arrive.

Tous ceux qui ont déjà une expérience de la méditation doivent savoir combien il est difficile d'apaiser cette « conversation mentale » afin de laisser s'exprimer notre sagesse et notre intuition profondes. Il existe d'ailleurs une technique traditionnelle de méditation qui consiste tout simplement à observer ce dialogue intérieur aussi objectivement que possible.

Cette expérience est très valable, dans la mesure où elle permet de prendre conscience du genre de pensées qui occupent notre esprit. Nombre d'entre elles sont comme des enregistrements de vieux schémas datant de plusieurs vies. Ces pensées sont d'anciens « programmes » qui aujourd'hui encore influencent directement notre vie.

La pratique des affirmations nous permet de remplacer nos vieux bavardages intérieurs, désuets, obsolètes, ou même négatifs, par des idées ou des concepts plus positifs. C'est une technique puissante, qui, en un rien de temps peut transformer totalement nos attitudes, nos espérances, et donc le cours que nous donnons à notre existence.

On peut pratiquer les affirmations silencieusement, à haute voix, on peut également les écrire ou même les chanter. Une dizaine de minutes par jour d'affirmations efficaces peut suffire à contrebalancer des années de vieilles habitudes mentales. Bien sûr, plus vous songerez à être conscient de ce que « vous vous racontez », plus vous choisirez des mots et des concepts positifs et puissants, plus votre vie reflétera ces valeurs.

Une affirmation peut être n'importe quelle déclaration positive, elle peut être très générale ou bien très spécifique. En fait, il existe une infinité d'affirmations possibles ; voici quelques suggestions :

Chaque jour je m'améliore, je m'améliore de plus en plus dans tous les domaines.

Tout vient à moi facilement et sans effort.

Je suis un être radieux, plein d'amour et de lumière.

Ma vie s'épanouit dans une totale perfection.

J'ai tout ce qu'il me faut pour être heureux, ici et maintenant.

Je suis maître de ma vie.

J'ai déjà en moi tout ce dont j'ai besoin.

Mon cœur renferme une sagesse parfaite.

Je suis en moi-même total et complet.

Je m'aime et m'apprécie comme je suis.

J'accepte tous mes sentiments comme faisant partie de moi.

J'aime aimer et être aimé.

Plus je m'aime, plus j'ai d'amour à offrir aux autres.

Désormais j'aime et je reçois l'amour sans réserve.

Désormais mes relations avec autrui sont heureuses, satisfaisantes et pleines d'amour.

Mes relations avec «untel» sont chaque jour plus heureuses et plus plénifiantes.

Désormais j'ai un emploi parfait, satisfaisant et bien rémunéré.

J'aime mon travail, il me comble, tant créativement que financièrement.

Je suis une source intarissable d'énergie créatrice.

Je sais m'exprimer de façon dynamique.

Je communique toujours clairement et efficacement.

J'ai maintenant suffisamment de temps, d'énergie, de sagesse et d'argent pour réaliser tous mes désirs.

Je suis toujours au bon endroit au moment opportun, accomplissant l'action juste et réussie.

Je peux avoir tout ce que je veux!

L'univers est une corne d'abondance, chacun peut y puiser.

Je suis abondance par nature même, désormais je l'accepte.

Ma vie est un libre flot d'infinies richesses.

Mes finances prospèrent chaque jour davantage.

Plus j'ai, plus je peux donner.

Plus je donne, plus je reçois et plus je me sens heureux.

Je peux jouir de la vie dans la bonne humeur et je le fais.

Je suis détendu et équilibré. J'ai tout mon temps pour chaque chose.

Désormais je savoure chacune de mes actions!

Je ressens le bonheur et la béatitude d'être en vie.

Je déborde de santé et rayonne de beauté !

Je suis prêt à recevoir toutes les bénédictions de cet univers d'abondance.

_____ (remplissez l'espace en blanc) vient à moi facilement et sans effort.

J'ai un merveilleux travail, merveilleusement bien payé, je rends un service merveilleux de façon admirable.

La lumière divine qui m'habite produit désormais des résultats parfaits dans chaque aspect de ma vie.

La lumière qui m'habite accomplit des miracles dans ma vie, ici et maintenant.

Je rends grâce pour avoir retrouvé la dimension divine de mon esprit, de mon corps et pour avoir rétabli mes affaires et mes relations.

Tout contribue désormais à me rendre la vie belle.

Je vis désormais en accord avec le plan divin assigné à ma vie.

Désormais, je reconnais, j'accepte et je me conforme au plan divin de ma vie, tel qu'il m'est révélé pas à pas.

Maintenant, je rend grâce pour cette vie de santé, de richesse, de bonheur et de parfaite expression de soi.

Voici maintenant, au sujet des affirmations, quelques points importants à ne pas oublier :

1. Formulez toujours vos affirmations au présent, jamais au futur. Il est important de consi-

dérer que leur contenu *existe déjà*. Ne dites pas :
« Je vais avoir un nouvel emploi merveilleux »,
mais plutôt « désormais, j'ai un emploi merveilleux ». Ce n'est pas vous abuser vous-même, c'est
reconnaître que tout se crée *d'abord* sur le plan
mental avant de trouver une expression concrète
en tant que réalité objective.

2. Formulez toujours vos affirmations avec
autant d'assurance que possible. Affirmez ce que
vous voulez, et non pas ce que vous *ne voulez pas*.
Ne dites pas : « Je ne fais plus la grasse matinée »
mais « désormais je me réveille à l'heure chaque
matin, débordant d'énergie. » Vous serez ainsi certain de créer l'image mentale la plus positive qui
soit.

Dans certains cas, il peut être utile de formuler les affirmations selon une tournure négative, tout particulièrement lorsqu'il s'agit d'éliminer certains blocages émotionnels ou de se
débarrasser de mauvaises habitudes, par exemple :
« Je n'ai pas besoin d'être tendu pour mener à
bien ce que j'entreprends ». Dans une telle situation il serait bon *d'accompagner* ce type d'affirmation d'une seconde revêtant, elle, un caractère
positif et décrivant ce que vous désirez vraiment :
« Désormais, je garde mon calme et mon sang-
froid et tout s'accomplit aisément et sans effort. »

3. En règle générale, les affirmations les plus
courtes et les plus simples sont les plus efficaces.
Une affirmation devrait être une assertion claire
accompagnée d'un sentiment très fort ; plus le sentiment véhiculé par l'affirmation est profond, plus
elle s'imprime dans votre esprit. Les affirmations

trop longues, redondantes et théoriques perdent de
leur impact émotionnel et deviennent de véritables
« acrobaties mentales ».

4. Choisissez toujours des affirmations qui
vous conviennent totalement. Ce qui est bon pour
une personne peut ne pas l'être pour une autre, et
ne pas réussir. Une affirmation devrait être res-
sentie comme positive, libératrice, expansive et/ou
support de vie. Si ce n'est pas le cas, alors for-
mulez-en une autre, ou bien modifiez celle-ci
jusqu'a ce qu'elle soit convenable.

Il est tout à fait possible qu'utilisant pour la
première fois certaines affirmations, particulièrement celles qui sont puissantes et vont modifier
votre conscience de façon notable, vous ressentiez
quelque résistance émotionnelle. Ce n'est que l'égo
qui se montre rebelle au changement et au progrès.

5. Chaque fois que vous utilisez les affirmations, pensez bien que vous créez quelque chose de
neuf et de frais. *Vous n'essayez en aucune façon
de refaire ou de modifier ce qui existe déjà*, ce
serait vous opposer à ce qui est, créant un terrain
propice aux conflits et à la lutte.

Votre attitude doit être d'accepter et de
prendre en charge tout ce qui fait déjà votre vie,
tout en considérant que chaque instant est une
occasion nouvelle de créer exactement ce que vous
voulez et d'être plus heureux.

6. Les affirmations ne visent pas *à renier ni à
essayer de changer* vos sentiments ou vos émotions ; il est important de les accepter et de les
vivre sans essayer de les modifier, y compris ces

sentiments prétendus négatifs. Cependant, les affirmations peuvent vous aider à créer une nouvelle façon de voir la vie qui vous permettra de connaître des expériences de plus en plus satisfaisantes.

7. Lorsque vous utilisez des affirmations, essayez d'y croire autant que possible, ayez le sentiment qu'elles peuvent aboutir ; laissez de côté provisoirement (au moins pour quelques minutes) vos doutes, vos hésitations et accordez à vos affirmations toute votre énergie, mentale et émotionnelle.

Si quelque doute, résistance, ou pensée négative venait à interférer avec vos affirmations, pratiquez les processus d'éclaircissement ou d'affirmations écrites tels que décrits dans la quatrième partie de ce livre.

Plutôt que de débiter des affirmations par cœur, imprégnez-vous du sentiment que vous avez vraiment entre les mains le pouvoir de créer la réalité qu'elles décrivent (c'est d'ailleurs ce que vous faites), et vous verrez que leur efficacité en sera remarquablement améliorée.

On peut utiliser les affirmations seules, on peut également les associer à la visualisation ou à l'imagination. Vous devriez toujours réserver une période de vos séances régulières de méditation et de visualisation créatrice à la pratique des affirmations. Nous verrons plus loin bien d'autres façons d'utiliser ces affirmations.

Les affirmations sont souvent bien plus puissantes et plus inspirantes lorsqu'elles ont une source spirituelle. Mentionner Dieu, le Christ,

Bouddha ou tout grand maître accroît l'énergie spirituelle de vos affirmations, c'est aussi une marque de reconnaissance de la source universelle de toute chose. Si vous souhaitez utiliser des expressions telles que : amour divin, lumière intérieure ou intelligence universelle, voici quelques suggestions d'affirmations :

L'amour divin œuvre en moi ici et maintenant afin de créer telle chose.

Le Christ en moi accomplit des miracles dans ma vie, ici et maintenant.

Je suis en union avec ma nature suprême et ma puissance créatrice est infinie.

Mon grand Soi me guide dans chacune de mes actions.

Dieu est en moi et se manifeste dans le monde à travers moi.

La lumière de Dieu m'enveloppe, Son amour se déploie en moi, Sa puissance s'écoule à travers moi. Où que je sois, Dieu est présent, et tout est pour le mieux !

Un « paradoxe »
spirituel

Il arrive que ceux qui ont étudié les philosophies orientales ou qui sont engagés sur un chemin de développement de la conscience éprouvent une certaine hésitation à pratiquer la visualisation créatrice lorsqu'il en entendent parler pour la première fois. Ce conflit naît du paradoxe *apparent* qu'ils perçoivent entre «être ici et maintenant», sans attachement ni désir, et le fait de se fixer des objectifs et de créer ce que l'on désire. Je parle bien d'un paradoxe *apparent*, parce qu'en vérité il n'y a pas de contradiction entre ces deux approches, lorsqu'elles sont comprises à un niveau plus profond. Dans les deux cas il s'agit de principes importants qui doivent être intégrés et vécus si

l'on désire devenir un être conscient. Afin d'expli-
quer comment ces deux approches, loin de s'ex-
clure l'une l'autre, s'accordent, permettez-moi de
vous présenter mon point de vue sur l'évolution
spirituelle.

La plupart des gens, dans nos cultures, ont
été coupés du sentiment de leur identité véritable.
Ils ont provisoirement perdu le contact conscient
avec leur grand Soi, et avec lui leur sens de puissance intérieure et de responsabilité. Il se sentent
intérieurement démunis, incapables de prendre en
main les rênes de leur existence ou de changer le
monde. Ce sentiment intérieur d'impuissance les
pousse à surcompenser en faisant de gros efforts
et en luttant durement pour obtenir un *certain*
degré de contrôle et de pouvoir sur leur univers.

C'est pourquoi les gens se fixent des buts
rigides, s'attachent émotionnellement à des objets
ou à des individus, comme si leur bonheur dépen-
dait de facteurs extérieurs ; ressentant un certain
« manque » à l'intérieur, ils deviennent tendus,
anxieux, et tombent sous l'emprise du stress,
essayant sans relâche de combler ce gouffre intérieur et de manipuler le monde extérieur afin de
réaliser leurs désirs.

C'est dans ces dispositions que la plupart des
gens se fixent des buts et tentent de réaliser leurs
désirs ; mais malheureusement, avec un tel niveau de
conscience, ils n'y arrivent pas du tout... soit qu'ils
dressent eux-mêmes tant d'obstacles à leur succès
qu'effectivement *ils ne peuvent pas réussir*, ou bien,
s'il leur *arrive de réussir*, il s'aperçoivent que cela ne
leur apporte pas le bonheur qu'ils recherchaient.

C'est en prenant conscience de ce dilemme qu'on commence à s'ouvrir à une voie spirituelle : on se rend compte qu'il doit y avoir autre chose dans la vie, et on se met à la recherche de cette chose.

On peut, dans cette quête, traverser de nombreuses expériences, suivre bien des chemins différents, mais en fin de compte la guérison survient, c'est-à-dire que nous retrouvons l'expérience de notre Soi véritable, la nature divine ou l'esprit universel qui nous habite tous. Grâce à cette expérience, nous finissons par retrouver notre force spirituelle dans toute sa dignité, le néant existentiel est rempli *de l'intérieur*, et nous devenons des êtres radieux, partageant la lumière et l'amour qui brillent en nous avec tous ceux qui nous entourent.

Ce processus est connu sous le nom d'illumination ; pour moi, c'est une évolution continuelle dans laquelle chaque individu est impliqué et qui ne peut pas être complète tant que tous nos frères humains n'y prennent pas part. Nous sommes tous également responsables de notre propre illumination et de celle des autres âmes qui peuplent notre planète...

Mais... revenons à notre prétendu paradoxe.

Lorsque vous émergez de votre condition de néant, d'avidité et de manipulation, la toute première leçon à apprendre est de *laisser aller*. Détendez-vous, arrêtez de lutter, de faire tous ces efforts, cessez de manipuler les éléments et les gens pour arriver à vos fins, en un mot arrêtez de *faire*, et faites l'expérience d'*être* tout simplement, pour quelques instants.

C'est alors que vous découvrez que vous allez parfaitement bien : en fait vous vous portez à merveille lorsque vous acceptez d'être et que vous laissez le monde être, sans essayer de changer quoi que ce soit. C'est l'expérience fondamentale de ce que l'on appelle *être ici et maintenant*, ce que la philosophie bouddhiste entend par « laisser partir les attachements ». C'est une expérience extrêmement libératrice, l'une des plus importantes dans toute prise de conscience de soi.

Lorsque cette expérience commence à être mieux établie, la voie vers le grand Soi s'ouvre et, tôt ou tard, vous êtes envahi par le déferlement de l'énergie créatrice. Alors vous réalisez que vous créez déjà votre vie et chaque expérience qui vous arrive, et cela vous donne envie de susciter des expériences plus gratifiantes, tant pour vous que pour autrui. Vous cherchez alors à diriger votre énergie vers les objectifs les plus élevés et les plus plénifiants qui puissent exister pour vous à chaque instant. Vous découvrez que par essence même la vie est bonne, abondante et amusante, et que réaliser vos désirs sans forcer ni combattre fait partie de votre droit de naissance naturel, par le seul fait d'être vivant. C'est alors que la visualisation créatrice peut devenir un outil très précieux.

Voici une métaphore qui rendra tout cela encore plus évident, du moins je l'espère :

Imaginons la vie comme une rivière ; de nombreuses personnes se cramponnent aux berges de peur d'être emportées par le courant mais, à certain point du cours d'eau, les baigneurs doivent décider de se laisser aller et de faire confiance à la rivière pour qu'elle les emmène en toute sécurité; ils apprennent alors à «suivre le courant» et se sentent très bien.

Lorsque l'habitude est prise de se laisser porter par les flots, la personne peut commencer à regarder devant elle et à diriger sa progression, décidant de ce qui lui convient le mieux, se faufilant à travers les obstacles et les rochers, choisissant parmi les nombreux bras et affluents de la rivière celui qu'elle préfère suivre, mais toujours «portée par le courant».

Cette analogie nous montre que l'on peut très bien vivre ici et maintenant, suivant le déroulement de l'existence, et en même temps se diriger consciemment vers des objectifs précis en prenant la responsabilité d'être maître de sa destinée.

Rappelez-vous également que l'on peut utiliser la visualisation créatrice à bien des fins, y compris pour développer sa conscience. La visualisation créatrice est souvent bien utile pour se voir soi-même plus détendu, plus ouvert, plus flexible, vivant l'instant présent, et toujours uni à son essence intérieure.

Puissiez-vous être pleinement comblés par la réalisation de tous vos désirs!

DEUXIÈME PARTIE

Applications de la visualisation créatrice

Demandez et l'on vous donnera;
cherchez et vous trouverez;
frappez et l'on vous ouvrira.
Car quiconque demande, reçoit,
celui qui cherche trouve,
et devant celui qui frappe s'ouvrent les portes.

Mathieu 7; 7, 8.

Intégrer
la visualisation
créatrice à sa vie

Comme vous avez pu le constater à la lecture de la première partie, la technique de base de la visualisation créatrice n'est pas compliquée.

Maintenant il s'agit d'apprendre à l'utiliser de manière à en retirer de véritables bienfaits et des changements positifs dans votre vie. Pour que la visualisation créatrice livre toute son efficacité, il est bon de comprendre certains principes et d'apprendre certaines techniques supplémentaires.

Le point capital est de pratiquer la visualisation créatrice souvent et régulièrement. La plupart des gens pensent qu'il est préférable de pratiquer au moins un peu chaque jour, surtout au début.

Je vous suggère de pratiquer méditation et

visualisation créatrice régulièrement pendant une quinzaine de minutes, le matin au lever et le soir avant de vous coucher (ce sont les périodes où la visualisation créatrice est la plus efficace). Si vous le pouvez, une séance à midi sera aussi bienvenue. Commencez toujours votre méditation par une profonde relaxation, puis enchaînez avec la visualisation ou les affirmations que vous avez choisies.

On peut utiliser la visualisation créatrice de bien des façons, à vous de les essayer aux moments opportuns ; si l'on considère qu'elle peut être un nouveau mode de penser, une nouvelle façon de vivre, on comprend qu'elle nécessite quelque entraînement.

Faites-en l'essai dans des circonstances et des situations variées, aussi souvent que possible, quel que soit le problème à résoudre. Si vous vous sentez soucieux, partagé sur une question donnée, découragé ou frustré, demandez-vous si la visualisation créatrice ne pourrait pas vous être d'un quelconque secours. Prenez l'habitude de l'utiliser chaque fois que les circonstances s'y prêtent.

Si vous ne notez pas de résultats *immédiats*, ne vous découragez pas. Rappelez-vous que nous avons, pour la plupart, un long passé de schémas mentaux négatifs à corriger et que pour modifier certaines de ces vieilles habitudes, il faut du temps. Beaucoup d'entre nous ont des attitudes ou des sentiments sous-jacents qui peuvent les freiner dans leur démarche pour une vie plus consciente.

Par chance, la visualisation créatrice est un processus d'une telle puissance que même cinq minutes de méditation consciente et positive peuvent corriger des heures, des jours et des années même de schémas négatifs.

Soyez donc patient! Il vous a fallu toute une vie pour créer votre univers tel qu'il est aujourd'hui, ne soyez donc pas surpris s'il ne change pas instantanément (bien que ce soit souvent le cas). Avec la persévérance et une compréhension correcte du processus, vous provoquerez dans votre existence des changements qui tiennent du miracle.

Mon expérience personnelle de la visualisation créative m'a révélé deux points de la plus haute importance :

1. Lire régulièrement des livres inspirants et élevants qui aident à garder le contact avec les aspirations et les idéaux les plus élevés. Je garde généralement près de mon lit un tel livre dont je lis une ou deux pages chaque jour.

2. Avoir un(e) ami(e) ou (c'est l'idéal) une communauté d'amis partageant le même idéal de vie plus consciente et prêts à nous aider dans notre entreprise. Suivre régulièrement ou de temps en temps des cours ou des ateliers de conscience peut être un excellent moyen de trouver une telle assistance, et aussi de la prêter à autrui.

Au cours des chapitres suivants, je vous communiquerai différentes techniques, idées, exercices et méditations; adoptez celles qui vous conviennent et qui semblent vous réussir. Il existe bien des niveaux de visualisation créatrice, et l'on peut approcher cette technique de bien des façons; j'ai personnellement essayé un large éventail de pratiques possibles. Selon les situations, l'une peut être fort appropriée, l'autre pas. Laissez-vous guider par le flot de votre énergie et pratiquez les exercices qui vous attirent le plus.

Par exemple, dans une situation particulière, vous voulez essayer les affirmations, mais vous n'y parvenez pas, ou bien vous avez l'impression que cela ne donne aucun résultat ; tournez-vous alors vers le processus d'éclaircissement, ou entrez en contact avec votre grand Soi ou guide mental et demandez-lui conseil.

Ce qui réussit à un moment donné peut échouer à un autre. Ce qui marche pour une personne peut être sans effet pour une autre. Fiez-vous toujours à votre propre jugement et à vos impulsions intérieures.

Si vous avez l'impression de forcer et de vous acharner, changez de technique.

Si un exercice vous semble positif, soulageant, fortifiant et inspirant, alors continuez.

Etre-faire-avoir

On peut considérer que la vie a trois niveaux : Etre, Faire, Avoir.

Etre représente l'expérience fondamentale d'être vivant et conscient. C'est l'expérience révélée par la méditation profonde, être totalement accompli et tranquille en soi-même.

Faire se rattache au domaine du mouvement, de l'activité et est issu de l'énergie créatrice naturelle qui s'écoule à travers tout ce qui vit ; c'est la source de notre vitalité.

Avoir représente la relation que l'on a avec les êtres et les choses qui nous entourent dans l'univers. C'est la faculté d'admettre et d'accepter les choses et les gens dans notre vie et de partager confortablement avec eux le même espace.

On peut représenter ces trois niveaux : Etre, Faire, Avoir, par un triangle dont chaque côté soutient les autres.

Etre

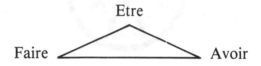

Faire   Avoir

Aucun n'est en conflit avec les autres.

Tous existent simultanément.

Les gens essayent souvent de vivre à l'envers. Ils tentent *d'avoir* plus de possessions ou plus d'argent afin de *faire* davantage ce qu'ils veulent, croyant que c'est la voie pour *être* heureux.

En fait, ça marche dans l'autre sens. Il vous faut d'abord *être* ce que vous êtes vraiment, puis *faire* ce qui est nécessaire afin *d'avoir* ce que vous désirez.

Le but de la visualisation créatrice est :

Nous relier à notre être.

Nous aider à nous concentrer et ainsi faire plus facilement.

Accroître et élargir notre avoir.

Trois éléments
indispensables

Vous devez avoir en vous trois éléments dont dépendra le succès de votre visualisation créatrice, quelle que soit la situation :

1. *Le désir.* Vous devez avoir un désir sincère d'obtenir ou de créer ce que vous avez choisi de visualiser. Par désir je n'entends pas désir obsédant, entêtant, mais plutôt sentiment clair et solide de votre but. Posez-vous la question : « Est-ce que je désire vraiment, du fond du cœur, atteindre ce but ? »

2. *La confiance.* Plus vous avez confiance en votre objectif et en la possibilité de l'atteindre, plus vous avez de chances d'y arriver. A nouveau demandez-vous : « Suis-je persuadé qu'un tel

objectif peut exister ? » et « Ai-je confiance en mes possibilités de réussite ? »

3. *L'acceptation.* Vous devez être prêt à *accepter* et *à recevoir* ce que vous recherchez. Nous poursuivons parfois certains buts sans véritablement vouloir les atteindre, nous complaisant davantage à courir après ces objectifs. Interrogez-vous : « Est-ce que je veux vraiment et sans réserve *avoir* cela ? ».

Ces trois éléments pris ensemble constituent ce que j'appellerai votre *intention.* Lorsque votre intention est totale, c'est-à-dire que votre désir est sincère, que vous y croyez pleinement et que vous voulez l'avoir sans réserve, votre souhait ne peut que s'accomplir, et généralement en l'espace de très peu de temps.

Plus votre intention sera claire et forte, plus votre visualisation créatrice aboutira rapidement et facilement. Quelle que soit la situation, interrogez-vous sur la nature de votre intention. Si elle paraît faible ou incertaine, elle peut être renforcée par l'affirmation suivante :

J'ai désormais l'intention ferme de créer cela ici et maintenant !

Contacter
le grand Soi

L'une des étapes les plus importantes pour l'efficacité et le succès de votre visualisation créatrice est l'expérience du retour à la «source».

La source, c'est ce réservoir illimité d'amour, de sagesse et d'énergie dans l'univers. Pour vous, ce terme peut évoquer Dieu, ou l'esprit universel, ou bien l'unité de toute chose, ou encore votre essence véritable. Quelle que soit la représentation que l'on s'en fait, cette source peut être localisée en chacun de nous, ici et maintenant, en notre être intérieur.

J'aime évoquer le contact avec la source en terme d'union avec le grand Soi, l'être de nature divine qui réside en nous. Le contact avec le grand

Soi est caractérisé par un profond sentiment de connaissance et de certitude, de puissance, d'amour et de sagesse, la conviction de créer son propre environnement et de disposer d'une puissance infinie pour le créer à la perfection.

Cette expérience de fusion avec notre grand Soi, nous l'avons tous faite, même si nous ne l'avons pas perçue comme telle. Se sentir exceptionnellement sublime, clair, fort, « être au septième ciel » ou « capable de déplacer les montagnes », voilà autant de symptômes de l'expérience de notre grand Soi. C'est la même chose qui se passe lorsqu'on « tombe amoureux »... Lorsque notre amour pour un autre être fait que nous nous sentons merveilleusement bien et que le monde est infiniment beau, c'est notre grand Soi qui se manifeste pleinement.

Lorsque vous prenez conscience de l'expérience de votre grand Soi pour la première fois, vous pouvez trouver qu'elle est assez fugitive. Vous pouvez vous sentir fort, clair, créatif à un moment particulier et sombrer dans la confusion et l'insécurité l'instant suivant. Il semble bien pourtant qu'il s'agisse là d'un aspect naturel du processus. Lorsque vous êtes conscient de votre grand Soi, vous pouvez faire appel à lui chaque fois que vous en avez besoin ; vous sentirez alors progressivement sa présence s'établir de plus en plus. Le lien qui existe entre votre personnalité et votre grand Soi se fait à double sens, et il est important de développer la circulation dans chacune des deux directions : réceptive et active.

Réceptive : Lorsque, pendant la méditation,

vous apaisez votre personnalité extérieure et atteignez l'être, vous ouvrez la voie à une sagesse supérieure, et c'est l'esprit d'intuition qui vous guide. Vous pouvez poser des questions et attendre que les réponses se manifestent au travers de mots, d'images mentales ou de sentiments.

Active : Lorsque vous assumez le rôle de créateur de votre univers, vous décidez de ce que vous désirez créer, et grâce à l'affirmation et à la visualisation, vous canalisez l'énergie, la puissance et la sagesse infinies de votre grand Soi pour y parvenir.

Lorsque le flot s'écoule librement dans les deux directions, votre sagesse suprême vous dirige à chaque instant vers des choix et la création d'un monde des plus nobles et des plus merveilleux.

Presque toutes les formes de méditation vous révéleront, finalement, l'expérience de votre grand Soi, votre source intérieure. Si vous n'êtes pas très certain de faire cette expérience, ne vous en alarmez point. Continuez votre pratique de la relaxation, de la visualisation et de l'affirmation et vous finirez par expérimenter à certains moments de votre méditation un déclic au niveau de votre conscience ; vous verrez bien alors que ça marche vraiment, vous pourrez même sentir l'énergie circuler abondamment en vous, ou bien encore une chaleur rayonnante dans votre corps. C'est le signe que vous commencez à canaliser l'énergie émanant de votre grand Soi.

Voici maintenant un exercice de visualisation créatrice qui vous aidera à vous mettre en condition. Vous pouvez le pratiquer régulièrement en début de méditation :

Asseyez-vous ou allongez-vous confortablement. Détendez-vous complètement... laissez toutes les tensions s'éliminer de votre corps et de votre esprit... respirez profondément, lentement... détendez-vous de plus en plus.

Visualisez alors une lumière dans votre cœur, éclatante, brillante et chaude. Sentez-la se diffuser et grandir, s'épanchant hors de vous de plus en plus loin jusqu'à ce que vous soyez comme un soleil d'or, déversant sur chaque être et chaque chose une énergie d'amour.

Dites-vous silencieusement et avec conviction :

« La lumière divine et l'amour divin coulent à travers moi et rayonnent à partir de moi sur tout ce qui m'entoure. »

Répétez-vous cela jusqu'à ce que vous ayez un sentiment très fort de votre énergie spirituelle. Vous pouvez très bien utiliser toute autre affirmation de votre capacité de puissance, de rayonnement et de création, telle que :

Désormais, Dieu œuvre à travers moi,

ou

Je déborde de lumière divine et d'énergie créatrice

ou

La lumière qui m'habite accomplit des miracles dans ma vie, ici et maintenant,

ou toute autre formule ayant pour vous puissance et signification.

Suivre le courant

La seule façon d'utiliser efficacement la visualisation créatrice est bien, selon l'esprit du Tao, « de suivre le courant », c'est-à-dire que les « efforts » pour aller où vous voulez vous rendre sont inutiles ! Contentez-vous de formuler votre demande clairement à l'univers, puis laissez-vous patiemment, harmonieusement porter par le flot, jusqu'à ce que la rivière de la vie vous dépose à bon port. Il se peut parfois que la rivière de la vie suive un cours quelque peu sinueux pour se rendre à destination, ou même semble, pour un temps, prendre une direction totalement opposée. Mais, à long terme, il s'avère que ce parcours est plus harmonieux et aisé qu'un autre qui aurait nécessité luttes et efforts.

Suivre le courant, c'est s'acheminer en douceur vers la destination que l'on s'est fixée (même s'il s'agit de quelque chose d'important) et être prêt à changer de cap si une issue plus adéquate et plus satisfaisante se présente. Suivre le courant, c'est cet équilibre entre suivre avec précision le chemin qu'on s'est tracé et savourer les merveilleux paysages qui le bordent, et même, ne pas hésiter à changer de destination si la vie souhaite vous emmener ailleurs. Bref, c'est savoir être ferme et flexible en même temps.

Si l'issue de votre entreprise éveille en vous des émotions pesantes, c'est-à-dire si la perspective de l'échec vous démoralise, vous aurez tendance à vous mettre des bâtons dans les roues. Votre crainte de ne *pas* obtenir ce que vous désirez peut renforcer l'idée de l'échec en lui fournissant autant ou plus d'énergie que vous n'en attribuez à votre projet lui-même.

Si vous êtes très attaché à un objectif, il serait peut-être plus sage et plus efficace de travailler en premier lieu sur vos émotions à son sujet. Considérez alors franchement les raisons de votre peur de l'échec dans cette situation et pratiquez les affirmations pour vous aider à retrouver un sentiment de confiance et de sécurité, ou pour affronter vos craintes.

A titre d'exemple :

L'univers suit son cours à la perfection
Je n'ai pas besoin de m'entêter

Je sais me détendre et laisser aller
Je peux suivre le courant
J'ai toujours ce qu'il me faut pour être heureux
ici et maintenant
J'ai déjà dans mon cœur tout l'amour
que je recherche
Je suis une personne digne d'être aimée
et affectueuse
Je suis en moi-même complet
L'amour divin me guide et prend toujours soin
de moi
L'univers pourvoit toujours à nos besoins.

Certains des processus d'éclaircissement exposés plus loin vous seront peut-être également utiles.

Bien sûr, il est tout à fait correct de pratiquer la visualisation créatrice pour un motif qui vous tient particulièrement à cœur, et les résultats seront la plupart du temps concluants, mais si tel n'est pas le cas, prenez bien conscience de l'influence conflictuelle engendrée par vos propres contradictions intérieures.

Il est alors important de vous détendre, d'accepter vos sentiments ainsi que l'idée que vous ne réaliserez peut-être pas votre désir dans l'immédiat, et de comprendre qu'en résolvant votre conflit vous ferez probablement un grand pas dans votre évolution et aurez l'occasion d'examiner de plus près vos attitudes envers la vie.

Si à un moment quelconque, pendant la visualisation créatrice, vous avez l'impression de *faire des efforts* ou d'essayer de *précipiter* les choses

parce qu'elles semblent ne pas vouloir se produire,
faites une pause et interrogez votre grand Soi sur
le bien-fondé de cette démarche ou sur l'authenti-
cité de votre désir. L'univers essaye peut-être de
vous montrer quelque chose de mieux que vous
n'aviez même pas imaginé.

Programmer
la prospérité

Programmer la prospérité représente un volet très important du processus de visualisation créatrice. Il s'agit de comprendre, d'admettre consciemment que l'univers est une corne d'abondance, absolument inépuisable, contenant tout ce que vous pouvez désirer tant sur le plan matériel qu'émotionnel, mental ou spirituel. Tout ce que vous désirez, tout ce dont vous avez besoin est là, à votre disposition ; il suffit d'y *croire*, de *désirer* sincèrement, de bien vouloir *accepter* et c'est gagné !

Une des raisons majeures de nos échecs dans la réalisation de nos désirs provient de la « programmation de restrictions ». Cette expression

désigne une attitude envers la vie ou un ensemble
de préjugés du genre :

> *Il n'y en a pas assez pour tout le monde...*
> *La vie est souffrance...*
> *Il est immoral ou égoïste de posséder beaucoup*
> *lorsque certains n'ont pas assez...*
> *La vie est dure, difficile, c'est une vallée*
> *de larmes...*
> *Il faut travailler dur et se sacrifier pour obtenir*
> *ce que l'on veut...*
> *Il est plus noble et plus élevé d'être pauvre...*

et ainsi de suite.

Il ne s'agit que d'idées fausses, fondées sur
une compréhension partielle et erronée des méca-
nismes de l'univers et des principes spirituels
importants. De telles conceptions ne sont utiles ni
à vous ni à personne, elles ne font que nous inter-
dire *à tous* l'accès à la réalisation de notre état
naturel de prospérité et d'abondance.

Bien sûr, la famine et la misère sont des réa-
lités pour beaucoup dans notre monde contemporain, *mais nous ne sommes pas tenus de créer, ni*
de perpétuer une telle réalité plus longtemps.

En vérité, la terre renferme bien plus que le
simple nécessaire, et cela pour chaque être
vivant ; il suffit de bien vouloir ouvrir sa conscience à une telle possibilité. L'univers est vraiment un lieu d'abondance et nous sommes tous,
par nature, florissants, matériellement et spiri-
tuellement. Ceux pour qui la richesse et l'abondance du monde n'est pas une réalité vécue sont

ceux qui croient, d'une certaine manière, au programme de restriction plus qu'à celui d'abondance. L'ignorance leur a fait partager la conviction, fort répandue, que pauvreté et rationnement sont inévitables, et ils ne réalisent pas encore que le pouvoir ultime de création est entre nos mains à tous, ou plutôt dans nos consciences.

En réalité, cette terre est une oasis de bonté, de beauté et d'abondance. Le seul et unique « mal » provient du manque de compréhension de cette vérité. Le mal (l'ignorance) est comme une ombre — dépourvu de réalité propre, une simple absence de lumière. Ce n'est pas en se battant contre une ombre, en la piétinant, en l'invectivant ni en lui opposant une quelconque résistance physique ou émotionnelle que l'on peut la faire disparaître. Pour faire disparaître une ombre, il suffit d'amener la lumière.

Analysez vos croyances et voyez si, par manque de confiance dans le bien universel, vous ne créez pas vos propres limites. Pouvez-vous vraiment, sans perdre le sens de la réalité, concevoir le succès, la satisfaction, la prospérité et la plénitude à votre porte ? Pouvez-vous vraiment ouvrir vos yeux à la bonté, la beauté et l'abondance qui vous entourent ? Etes-vous capable d'imaginer ce monde changé en jardin d'Eden où chacun pourrait s'épanouir, s'illuminer et vivre heureux et prospère ?

Tant que vous ne pourrez pas concevoir le monde comme un lieu douillet et propice au succès pour tous, vous aurez des difficultés à faire ce que vous voulez dans votre propre vie.

L'amour est une qualité fondamentalement humaine, et c'est pourquoi beaucoup d'entre nous ne s'autorisent pas à obtenir ce qu'ils veulent, croyant que cela reviendrait à « ôter le pain de la bouche » d'autrui.

Nous devons bien comprendre qu'en réalisant nos désirs, nous contribuons au bonheur humain et aidons les autres à être plus heureux.

Pour vous amuser, essayez cet exercice qui stimulera votre imagination et élargira votre aptitude à « tout avoir » :

Méditation de la « corne d'abondance »

Détendez-vous complètement, dans une position confortable.

Imaginez que vous êtes dans un cadre naturel merveilleux, comme une large prairie verdoyante traversée par un adorable ruisseau, ou bien au bord de l'océan sur une plage de sable blanc. Prenez le temps d'imaginer la beauté de chaque détail et de l'apprécier. Puis commencez à marcher pour vous retrouver soudain dans un décor totalement différent : un champ ondulant de blé blond, ou encore un lac dans lequel vous vous baignez. Continuez à flâner, à explorer, découvrant des panoramas de plus en plus exquis et variés : des montagnes, des forêts, des déserts, tout ce qui charme votre fantaisie. Savourez-les tour à tour pendant quelques instants...

Imaginez que vous embarquez pour un paradis tropical luxuriant, où chaque arbre ploie sous des fruits fantastiques. Chemin faisant, vous atteignez un immense château. Vous y êtes accueilli en fanfare, au milieu des danses, puis on vous conduit à la salle du trésor, et là vous découvrez des joyaux d'un éclat inimaginable, des métaux précieux, des garde-robes somptueuses, bien plus que vous ne pourrez jamais utiliser. Jouez avec votre imagination, promenez-vous tout autour du monde, découvrez ou recevez en présent tout ce que vous pouvez désirer et en quantité dépassant tout ce que vous auriez osé souhaiter.

Imaginez le monde comme un fabuleux paradis dans lequel tous ceux que vous rencontrez partagent la même plénitude et la même abondance que vous.

Savourez cette expérience sans réserve. Visitez d'autres planètes si vous le souhaitez et découvrez-y aussi des merveilles. Infinies sont les possibilités. Enfin, rentrez chez vous, heureux, comblé, et dites-vous que l'univers est bien ce lieu d'abondance et de merveilles incroyables.

Affirmations :

Cet univers regorge de richesses pour chacun d'entre nous.

Abondance, voilà ce que je suis vraiment. Désormais je l'accepte pleinement et dans la joie.

Dieu est la source infaillible et illimitée de toutes nos ressources.

Je mérite prospérité et bonheur. Désormais je suis prospère et heureux !

Plus je m'enrichis, plus j'ai de quoi partager avec les autres.

L'univers est pure abondance !

Je suis maintenant prêt à accepter toute la joie et la prospérité que la vie m'offre.

Je prends désormais la responsabilité de faire du monde une oasis de bonheur et d'abondance pour tous.

Le succès financier vient à moi facilement, sans effort.

Je bénéficie désormais d'une grande prospérité financière.

La vie est un jeu amusant et je désire y participer.

D'infinies richesses se déversent facilement dans ma vie.

Je suis riche intérieurement et extérieurement.

J'ai désormais à ma disposition plus d'argent qu'il ne m'en faut.

J'ai maintenant un revenu satisfaisant de _____ F par mois.

Chaque jour m'apporte davantage de prospérité.

Je suis riche, bien dans ma peau, heureux.

Le bien est en vous,
acceptez-le !

Si vous voulez pratiquer la visualisation créatrice avec succès, il vous faut être prêt à *accepter* ce que la vie a de mieux à vous offrir : le « bien » qui est en vous.

Aussi étrange que cela puisse paraître, beaucoup d'entre nous acceptent difficilement la possibilité de réaliser leurs désirs. Cela provient généralement d'un sentiment profond de manque de mérite contracté pendant la petite enfance. Cela donne une opinion de soi que l'on peut résumer ainsi : « Je ne suis vraiment pas quelqu'un de bien (digne d'amour, intéressant), je ne mérite donc pas ce qu'il y a de mieux dans la vie. »

Ce jugement personnel est généralement

accompagné d'autres sentiments, parfois même contradictoires, qui nous disent que l'on est bon et méritant. Si vous éprouvez quelque difficulté à vous imaginer dans des circonstances idéales ou si vous vous surprenez à penser : « Je ne pourrai jamais avoir cela » ou encore « il n'est pas possible que cela *m'arrive* », il serait sans doute bon de jeter un petit coup d'œil sur l'image que vous avez de vous-même.

Cette image est la façon dont vous vous considérez, comment vous vous sentez face à vous-même. Elle est souvent complexe et très diversifiée. Pour prendre conscience des différents aspects de l'image que vous vous faites de vous, commencez par vous demander : « Comment me perçois-je, là, maintenant ? » à plusieurs reprises dans la journée et dans des situations diverses. Commencez un peu à remarquer quelles sortes d'idées ou d'images vous avez de vous-même selon les moments.

Il est très intéressant de prendre conscience de votre image *physique* de vous-même en vous demandant : « Comment est-ce que je me vois maintenant ? » Si vous vous trouvez gauche, laid, obèse, maigre, trop grand, trop petit ou je ne sais quoi encore, cela pourrait bien signifier que vous ne vous estimez pas suffisamment pour vous accorder ce que vous méritez vraiment : le meilleur. Je suis souvent abasourdie de découvrir à quel point des gens parfaitement beaux et attirants se trouvent fréquemment laids, inintéressants, sans mérite aucun.

Les affirmations et la visualisation créatrice

constituent un excellent moyen de se créer une image personnelle plus positive et digne d'amour. Lorsque vous avez découvert pourquoi vous ne vous acceptez pas tel que vous êtes, ne perdez aucune occasion de vous faire des compliments, de vous témoigner de l'estime et de l'affection. Remarquez bien les moments où vous êtes mentalement dur ou critique envers vous-même, et alors, soyez consciemment plus cordial, appréciez-vous davantage. Vous constaterez que cela vous aidera immédiatement à aimer plus les autres aussi.

Songez à certaines de vos qualités qui vous plaisent vraiment. De même que vous aimez un ami en dépit de ses défauts et de ses faiblesses, vous pouvez vous accepter tel que vous êtes, tout en étant conscient d'avoir à travailler pour progresser sur certains aspects de votre personnalité. C'est là un exercice très valable qui peut vraiment transformer votre existence.

Commencez donc à vous dire :

Je suis beau et digne d'être aimé
Je suis aimable et affectueux, et j'ai beaucoup à partager avec autrui.
J'ai du talent, je suis intelligent et créatif.
Je suis chaque jour plus séduisant.
Je mérite ce qu'il y a de mieux dans la vie.
J'ai beaucoup à offrir, tout le monde le sait.
J'aime le monde et le monde m'aime.
Je veux être heureux et réussir...

ou toute autre formule qui vous paraisse adéquate et utile.

Il est souvent efficace de formuler ce type d'affirmation à la deuxième personne, en utilisant votre propre prénom :

« *Suzanne, tu es une personne brillante et intéressante, je t'aime beaucoup* » ou

« *John, tu es tellement chaleureux et affectueux, les gens apprécient vraiment ces qualités chez toi.* »

Cette façon directe de se parler est particulièrement efficace, car la plupart des idées négatives que l'on peut entretenir à son propre sujet remontent à la petite enfance, lorsque notre entourage nous déclarait : tu es mauvais, stupide ou incapable.

Essayez de tracer mentalement votre portrait, aussi clairement que possible, puis envoyez-vous des impulsions d'amour, comme vous le feriez pour une autre personne. Dites-vous que c'est la mère ou le père en vous qui exprime son amour à l'enfant que vous êtes. Dites-vous :

« *Je t'aime, tu es merveilleux. J'apprécie ta sensibilité et ton honnêteté* ».

La visualisation créatrice est également un très bon moyen pour travailler sur n'importe quel problème physique qui vous gêne. Si, par exemple, vous vous trouvez trop gros, travaillez sur deux points en même temps :

1. Grâce aux affirmations et à l'énergie d'amour, apprenez à vous estimer et à vous accepter davantage, *tel que vous êtes en ce moment*.

2. Par la pratique de la visualisation créatrice et des affirmations, faites-vous *comme vous voulez être*, svelte, coquet, sain et heureux.

Ces techniques sont extrêmement efficaces et opèrent de véritables changements ; elles permettent de travailler sur n'importe quel problème concernant l'estime de soi.

Souvenez-vous que chaque nouvel instant fait de vous une nouvelle personne. Chaque jour apporte sa part de nouveauté et vous offre l'occasion de réaliser à quel point vous êtes merveilleux, affectueux et adorable...

De pair avec votre travail sur votre image personnelle, il est utile de formuler des affirmations permettant de reconnaître et d'accepter la générosité de l'univers.

Par exemple :

Je suis prêt à recevoir les bénédictions de cet univers d'abondance.

Tout ce qui est bon vient à moi facilement et sans effort (vous pouvez remplacer « tout ce qui est bon » par n'importe quel autre terme : amour, prospérité, créativité, relation parfaite).

J'accepte le bien qui vient à moi, ici et maintenant.

Je mérite ce qu'il y a de mieux et désormais ce qu'il y a de mieux vient à moi.

Plus je reçois, plus j'ai à donner.

Voici une méditation qui vous aidera à redorer votre amour-propre et à accroître votre aptitude à utiliser l'amour et l'énergie que l'univers est prêt et même impatient de mettre à votre disposition.

Méditation pour l'appréciation de soi

Imaginez-vous dans une situation de la vie de tous les jours, et représentez-vous quelqu'un (que

*vous connaissez, ou que vous ne connaissez pas)
qui vous regarde avec amour et admiration en
vous faisant des compliments. Puis d'autres personnes se joignent à la première et renchérissent
sur le fait que vous êtes quelqu'un de merveilleux.
(Si cela vous gêne, continuez quand même !) Imaginez de plus en plus de gens arrivant et vous considérant avec un amour et un respect infinis dans
le regard. Imaginez-vous donnant un spectacle, ou
sur une estrade, recevant un déferlement d'encou-
ragements, d'applaudissements, de témoignages
d'amour et d'appréciation. Laissez les applaudissements crépiter à vos oreilles, puis levez-vous,
inclinez-vous et remerciez le public pour son soutien et son appréciation.*

Affirmations pour l'estime de soi :

Je me plais et je m'accepte tel que je suis.
*Je n'ai pas besoin d'essayer de plaire à qui
que ce soit, je me plais et c'est ce qui compte.*
*Je me trouve tout à fait bien quand je suis en
présence d'autres gens.*
*Je m'exprime librement, pleinement et facile-
ment.*
Je suis un être fort, affectueux et créatif.

Rayonner

Un autre principe clé en visualisation créatrice est celui du don ou « rayonnement ». L'univers est pure énergie dont la nature est de circuler et de s'écouler. Par nature la vie est un flux de changement perpétuel. Lorsque nous avons compris cette réalité, nous agissons en harmonie avec elle et nous pouvons alors donner et recevoir sans restriction, sachant que nous ne perdons jamais rien, mais que nous gagnons constamment.

Lorsque nous apprenons à *accepter* la bonté de l'univers, naturellement nous désirons aussi la *partager*, car c'est en donnant notre énergie que nous en attirons à nous davantage encore.

Lorsque l'insécurité (la peur) et le sentiment

« qu'il n'y en a pas assez » nous poussent à nous
cramponner à ce que nous possédons, nous arrê-
tons ce merveilleux courant d'énergie. En nous
accrochant à notre bien, nous ne permettons plus
à l'énergie de circuler et donc nous ne laissons pas
de place pour une nouvelle énergie.

L'énergie assume des formes diverses : amour,
affection, appréciation et reconnaissance, possessions matérielles, argent, amitié, etc., et les principes dont nous venons de parler s'y appliquent
également.

Si vous regardez qui sont les gens les plus
malheureux autour de vous, vous constaterez que
ce sont des gens qui semblent en quelque sorte
« rester sur leur faim » et qui, par conséquent,
sont envers la vie dans une position d'accapareur.
Ils pensent que l'existence en général, et les gens
en particulier, ne leur donnent pas ce dont ils ont
besoin. C'est comme s'ils serraient la vie à la
gorge, essayant désespérément de lui arracher
l'amour et la satisfaction qu'ils implorent, tout en
écartant ces valeurs de leur existence. Beaucoup
d'entre nous ont un peu cette tendance.

Lorsque nous découvrons en nous la capacité
de donner, nous commençons à voir les choses
d'un œil tout à fait différent. Le don ne repose
pas sur le sacrifice, sur une quelconque vertu ou
sur l'idée de la spiritualité, le don naît du pur
plaisir de donner — parce que c'est une joie. Le
don ne peut venir que d'un cœur débordant
d'amour.

Nous avons tous en nous un océan illimité
d'amour et de bonheur. Nous avons pris l'habi-

tude de penser que nous devons aller chercher quelque chose à l'extérieur pour être heureux, en réalité c'est l'inverse, il nous faut d'abord contacter notre source intérieure de bonheur et de satisfaction, puis l'extérioriser et partager ses trésors avec les autres — non pas pour accomplir un acte vertueux, mais parce que c'est vraiment agréable ! Lorsque nous faisons l'expérience de cette source intérieure, nous ne désirons que partager sa plénitude, car c'est là la nature essentielle de l'amour, et nous sommes tous des êtres d'amour.

Lorsque notre énergie d'amour coule vers l'extérieur elle laisse la place à une énergie encore plus grande qui coule vers nous. Nous découvrons bien vite que ce processus est tellement plénifiant que nous voulons le pratiquer encore et encore, car plus on donne de soi, plus on reçoit en vertu du principe d'action-réaction : la nature a horreur du vide et en donnant on libère un espace intérieur qui doit se remplir à nouveau. Le don devient sa propre récompense.

Lorsque ce principe est pleinement compris et vécu, notre nature profonde d'amour se manifeste.

Vous remarquerez donc, dans votre pratique de la visualisation créatrice, que plus vous avez tendance à « donner », plus vous réalisez vos rêves facilement... mais n'oubliez pas que vous ne pouvez donner que si vous êtes également prêt à recevoir. « Donner », c'est aussi donner à soi-même....

Lorsqu'il s'agit de rayonnement, la pratique est essentielle. Exercez-vous consciemment afin de vous rendre compte à quel point cela est agréable. Si vous pensez avoir besoin de travailler dans ce domaine particulier, vous pouvez pratiquer les exercices suivants :

1. Faites-vous un devoir d'exprimer votre appréciation des autres de toutes les façons possibles. Mettez-vous à l'œuvre tout de suite, dressez une liste de personnes pour lesquelles vous voudriez déborder d'amour, de compliments et songez aux moyens que vous utiliseriez pour y arriver... dans la semaine qui suit. On peut exprimer son amour et son appréciation par des mots, un contact physique, un cadeau, un coup de téléphone ou une lettre, de l'argent ou en partageant ses talents de n'importe quelle manière qui soit capable de rendre l'autre heureux. Choisissez quelque chose qui vous apporte à vous aussi beaucoup de satisfaction, même si cela vous demande un petit effort supplémentaire.

Exercez-vous à dire plus de paroles de gratitude, d'appréciation et d'admiration autour de vous, par exemple : « C'était chic de votre part de m'aider ». « Sachez que je l'apprécie ». « Vos yeux étaient si beaux et brillants lorsque vous me disiez cela, ça m'a fait du bien de vous voir. » (Il n'est pas indispensable de se sentir gêné !).

2. Passez en revue toutes vos affaires, triez celles auxquelles vous ne tenez pas vraiment ou qui ne vous sont pas d'une grande utilité et donnez-les à ceux qui sont susceptibles de mieux les apprécier.

3. Si vous êtes du genre à essayer de limiter vos dépenses au maximum, toujours à l'affût de la bonne occasion, essayez de dépenser chaque jour un peu d'argent sans nécessité. Achetez de préférence l'article qui vous coûtera quelques centimes de plus plutôt que celui qui vous ferait gagner quelques centimes. Offrez-vous un petit extra, payez le café d'un ami, faites un don pour une œuvre de charité, etc. Même une toute petite action de ce genre vous prouve que vous avez foi en l'abondance que vous avez affirmée, les actions sont alors aussi parlantes que les mots.

4. Imposez-vous une dîme sur votre revenu, c'est-à-dire allouez-en un pourcentage à une église, une organisation spirituelle, ou à tout autre groupement qui selon vous est d'une réelle utilité pour le monde. C'est une façon de soutenir cette énergie et de reconnaître que tout ce que vous recevez provient de l'univers, ou est un don de Dieu, et par conséquent de témoigner votre gratitude envers la source universelle. En matière de dîme, peu importe le pourcentage du prélèvement, même s'il s'agit seulement d'un pour cent de vos revenus, vous aurez une expérience permanente de rayonnement. Assurez-vous seulement de le faire régulièrement.

5. Soyez créatif. Inventez d'autres façons de déverser votre énergie dans l'univers pour votre bonheur et celui des autres.

Guérir

Comment se guérir soi-même

La visualisation créatrice est l'un des outils les plus importants dont nous disposons pour créer un état de parfaite santé et le maintenir.

Un des principes de base de la santé « totale » * dit qu'il n'est pas possible de dissocier le physique des émotions, du mental et du spirituel. Tous ces différents niveaux de notre personnalité sont interdépendants et un état de « mal-aise » dans le corps

---

* N.D.T. : L'adjectif utilisé par l'auteur est « holistic », désignant une vision de la santé qui considère l'individu comme un tout qui est plus que la somme de ses parties et dont les différents aspects sont indissociables, et doivent par conséquent être tous considérés dans le processus thérapeutique.

est toujours le reflet d'un conflit, de tensions, d'une anxiété ou d'un manque d'harmonie à d'autres niveaux. Lorsque nous souffrons d'un quelconque trouble physique, il s'agit inévitablement d'une sonnette d'alarme nous invitant à faire le point sur nos sentiments, nos émotions, nos pensées et nos attitudes afin de voir comment rétablir en nous un terrain d'harmonie naturelle et d'équilibre. Nous devons être « à l'écoute » de ce qui se passe en nous et savoir nous adapter à ce processus intérieur.

La communication corps/esprit est constante. Le corps perçoit l'univers physique et en informe l'esprit qui, à son tour, interprète ces données selon ses propres expériences individuelles passées et son système de valeurs, puis ordonne au corps de réagir de façon adéquate. *Si le système de valeurs ou de croyances de l'esprit (consciemment ou inconsciemment) juge opportun ou inévitable de tomber malade dans une situation donnée, il en fera part à la physiologie qui, avec obligeance, manifestera des symptômes de maladie:* c'est-à-dire tombera vraiment malade. Le processus entier est donc intimement lié à la conception profonde que nous avons de la vie, de nous-mêmes, ainsi qu'à notre notion de santé et de maladie.

La visualisation créatrice repose sur la communication entre l'esprit et le corps, qui permet de créer mentalement des images ou des idées, consciemment ou pas, puis de les transmettre au corps sous forme de signaux ou d'ordres.

La visualisation créatrice consciente est le processus par lequel nous remplaçons nos images mentales négatives et nos pensées étriquées, littéralement « maladives », par d'autres de nature positive.

Les gens tombent malades parce qu'intérieurement ils sont persuadés que la maladie est la seule réponse possible à certaines situations ou circonstances, parce qu'elle semble résoudre un problème, ou bien leur fournit quelque chose dont ils avaient besoin, ou encore parce qu'elle représente une solution désespérée à quelque conflit interne insoluble et insupportable.

On peut en citer quelques exemples : la personne qui, ayant été au « contact » d'un malade contagieux, contracte le même mal parce que dans son esprit cette issue est inévitable ou au moins fortement probable, celle qui meurt de la même maladie qu'un de ses parents (elle s'est programmée inconsciemment à suivre le même schéma) ; il en est de même pour les personnes qui tombent malades ou sont victimes d'un accident pour pouvoir quitter leur emploi (soit que cet emploi comporte une situation insoutenable, soit que ces personnes ne trouvent que dans la maladie le repos et la détente qu'elles ne savent pas s'accorder autrement) ; ou bien celles qui tombent malades afin de susciter l'amour et l'attention (c'est ainsi que, enfants, elles s'attiraient l'amour de leur parents). On peut inclure dans ces exemples le cas des personnes qui, toute leur vie durant, répriment leurs sentiments et finalement meurent d'un cancer (ne pouvant résoudre le conflit existant entre la pression croissante des sentiments refoulés et la conviction qu'il n'est pas convenable de les exprimer... la personne trouve la solution dans la mort.)

Ces exemples ne veulent pas dire que je considère toutes les maladies comme un problème simpliste pouvant recevoir une explication aussi systématique. Comme pour tout problème, il y a souvent une combinaison complexe de différents facteurs. J'essaye seulement d'illustrer le fait que la maladie résulte de nos concepts profonds et de nos attitudes mentales et qu'elle représente une tentative de solution face à un problème intérieur. En étant prêts à reconnaître et à changer nos préjugés les plus profondément ancrés, nous pouvons trouver des solutions plus constructives à nos problèmes et ainsi éliminer maladies et inconforts.

Les points de vue suivants peuvent structurer une conscience extrêmement positive, puissante, saine et curative :

Nous sommes tous, par essence, des êtres spirituels parfaits. Nous sommes tous une expression parfaite de l'esprit universel ou conscience divine qui réside en nous.

Notre droit de naissance est donc une santé rayonnante, la beauté, l'énergie illimitée, une vitalité juvénile et la joie de vivre.

Il n'y a, en vérité, ni mal, ni limites. Il n'y a qu'ignorance ou compréhension erronée de la nature universelle du bien (ou Dieu) associée à nos facultés créatrices illimitées.

Les seuls obstacles à la santé, la beauté, l'énergie, la vitalité et la joie proviennent des blo-

*cages que nous nous sommes créés et des résis-
tances à la générosité de la nature que nous nous
sommes érigées par peur et par ignorance.*

*Notre corps n'est que l'expression physique de
notre conscience. Notre santé et notre beauté ou
leur absence dépendent de l'idée que nous avons
de nous-mêmes. Lorsque nous modifions en profondeur ces concepts, notre moi physique change
également. Le corps est en perpétuelle transformation, se rechargeant et se reconstruisant à chaque
seconde, et son seul guide dans ce travail est bel et
bien l'esprit.*

*Plus nous faisons coïncider notre conscience
avec notre réalisation spirituelle suprême, plus
notre corps exprime notre perfection individuelle
propre.*

La conséquence naturelle d'un tel point de
vue est une attitude beaucoup moins passive
envers la maladie. Plutôt que de considérer la
maladie comme une malchance ou une inévitable
calamité, nous la prenons comme un message utile
et d'une grande force. Si nous souffrons d'un
quelconque problème physique, c'est l'avertisse-
ment que quelque chose, au niveau de notre conscience, doit être pris en considération, reconnu et
modifié.

Ce message transmis par la maladie est très
souvent une invitation au repos et à l'expérience
du moi intérieur. La maladie nous contraint souvent à nous détendre, à nous détacher un peu de
nos affaires et de nos « efforts » pour plonger vers
un niveau de conscience profond et serein, seul
capable de nous recharger en énergie.

On se soigne toujours de l'intérieur. Lorsque nous avons pris l'habitude de nous tourner régulièrement vers le calme intérieur, nous n'avons plus besoin de tomber malade pour enfin prêter attention à notre moi profond.

Maladies et accidents sont autant d'avertissements nous incitant à réviser nos principes ou à résoudre quelque problème intime. Soyez donc aussi calme que possible, soyez à l'écoute de votre voix intérieure, cherchez quel est le message ou ce qu'il y a à comprendre dans telle ou telle situation. Il se peut que vous vous tiriez d'affaire seul, il se peut également que vous ayez besoin de l'assistance d'un conseiller, d'un ami, d'un thérapeute ou d'un guérisseur.

La visualisation créatrice est le remède idéal pour se guérir, parce qu'elle agit directement à la source du problème, c'est-à-dire nos conceptions et nos représentations mentales. Visualisez-vous en parfaite santé, affirmez-le, voyez votre problème totalement résolu, guéri. A tous les niveaux les approches sont nombreuses, à vous de trouver le type particulier d'affirmations et d'images qui vous sera le plus favorable. Vous trouverez à cet égard certaines suggestions dans la troisième partie de ce livre.

Bien sûr, la « médecine préventive » reste la meilleure... Si vous n'avez aucun problème de santé, tant mieux, affirmez simplement que vous vous maintenez toujours en bonne forme, plein de vitalité, vous n'aurez ainsi jamais à vous soucier de vous soigner. Si par contre votre santé n'est pas encore parfaite, sachez que l'on rapporte chaque jour de nombreux cas de guérisons miraculeuses, même pour des maladies très graves comme le cancer, l'arthrite ou des troubles cardiaques, par la seule utilisation de certaines formes de visualisation créatrice.

Dans bien des cas, la visualisation créatrice est une thérapie complète qui se suffit à elle-même, mais il est parfois nécessaire d'avoir recours à d'autres traitements en même temps, lorsque par exemple la personne est convaincue qu'il est impossible de se débarrasser d'une maladie sans l'action d'un élément extérieur. *Tant que vous avez une solide confiance en une thérapie particulière, suivez-la !* Si vous le désirez et si vous y croyez, elle réussira. Mais quel que soit le traitement adopté, qu'il soit emprunté à la médecine ou à la chirurgie conventionnelles ou bien à des thérapies plus globales : acupuncture, yoga, massages, régimes diététiques, etc., la *visualisation créatrice demeure toujours un complément utile* pouvant accompagner n'importe quelle méthode de soins. Dans tous les cas, l'utilisation consciente de la visualisation créatrice hâtera et adoucira étonnamment le processus de guérison.

Guérir les autres

Les principes mis en œuvre dans la guérison personnelle servent aussi à guérir autrui. Le pouvoir de guérison de la conscience que j'ai déjà souligné est aussi puissant lorsqu'il s'agit de soigner les autres que lorsqu'il s'agit de se soigner soi-même (et même parfois plus), en raison de l'unicité de l'esprit universel. Il existe une partie de notre conscience qui est en corrélation directe avec cette même partie chez les autres, et comme elle est également le lien qui nous relie à l'omniscience et à l'omnipotence divines, nous avons donc *tous* le pouvoir de guérison que nous pouvons contacter à volonté.

Nous avons vu que l'image que nous entretenons de nous-mêmes détermine la qualité de notre santé ; de la même manière, notre entourage est directement influencé par ce que nous pensons de lui. Si une de nos amies est tombée malade à cause d'une certaine idée qu'elle se fait d'elle-même, et si nous partageons son point de vue, nous entretenons alors sa maladie en dépit même de tout l'amour avec lequel nous souhaitons son rétablissement. Si, par contre, nous croyons fermement à sa santé, à sa perfection, nous favorisons véritablement sa guérison. Il n'est même pas nécessaire que cette personne sache ce que nous faisons pour elle ; en fait, il est souvent préférable qu'elle n'en soit pas consciente.

Il est vraiment étonnant de voir que, rien qu'en changeant d'opinion au sujet d'une personne, en entretenant et en projetant consciemment une image de santé et de bien-être à son égard, il est possible dans bien des cas de la *guérir instantanément*, ou au moins d'accélérer et d'adoucir son rétablissement.

J'ai été élevée selon des principes très scientifiques et rationnels, et il m'a été extrêmement difficile de comprendre et d'accepter ce phénomène de guérison à distance. Cependant, je l'ai constaté et expérimenté trop souvent pour pouvoir encore en douter.

La meilleure technique de guérison dont j'ai pu faire l'expérience consiste à me figurer que je suis un canal qui permet à l'énergie curative, l'énergie spirituelle de l'univers, de s'écouler *à travers* moi jusqu'à la personne qui en a besoin : j'imagine que mon grand Soi envoie de l'énergie à son grand Soi afin de l'aider à se guérir par quelque moyen que ce soit. En même temps, je me représente la personne comme elle est en essence... un être divin, une expression parfaite et sublime de Dieu, naturellement saine et heureuse.

La troisième partie du livre décrit les méthodes de guérison avec lesquelles j'ai eu le plus de succès. Ne manquez pas de les essayer, et découvrez ainsi les vôtres.

Méditations
et affirmations

*Toutes tes entreprises réussiront
et sur ta route brillera la lumière.*

Job 22 : 28

Amarrage
et circulation
d'énergie

Voici une technique de visualisation très simple qu'il est très bon de pratiquer en début de méditation. Son but est de faire circuler l'énergie, d'éliminer les blocages, et de vous permettre de garder une attache solide avec le plan physique pour ne pas être complètement coupé du monde pendant la méditation.

Asseyez-vous confortablement, le dos droit, sur une chaise ou bien par terre, jambes croisées. Fermez les yeux, respirez lentement, profondément, en comptant à rebours de dix à un jusqu'à ce que vous soyez bien détendu.

Imaginez une longue corde attachée à la base de votre colonne vertébrale, traversant le sol et s'enfonçant dans la terre. Vous pouvez même vous la représenter comme la racine d'un arbre poussant profondément dans le sol. C'est ce que l'on appelle une « corde d'amarrage ».

Imaginez maintenant que l'énergie terrestre remonte le long de cette corde (passant par la plante des pieds si vous êtes assis sur une chaise), imprégnant chaque fibre de votre corps et ressortant par le sommet de votre tête. Imaginez cela jusqu'à ce que vous ressentiez vraiment le flot d'énergie. Ensuite, imaginez que c'est l'énergie du cosmos qui entre en vous, par le sommet du crâne, se répandant dans tout votre corps pour enfin ressortir par les pieds en suivant la corde d'arrimage et se perdre dans la terre. Ressentez ces deux courants circulant dans des directions différentes et se mêlant harmonieusement dans votre corps.

Cette méditation vous permet de garder un bon équilibre entre l'énergie cosmique qui soutient la vision, la fantaisie, l'imagination et l'énergie terrestre stable du plan physique... un équilibre qui augmentera votre sentiment de bien-être et votre puissance de manifestation.

Ouvrir les centres
d'énergie

Voici maintenant une méditation pour guérir et purifier le corps, et pour favoriser la circulation de l'énergie. Il est très approprié de la pratiquer le matin au réveil, ou au début de chaque séance de méditation, ou encore chaque fois que vous voulez vous détendre et vous revitaliser :

Allongez-vous sur le dos, les bras le long du corps ou les mains croisées sur le ventre. Fermez les yeux, détendez-vous et respirez doucement, profondément et lentement.

Imaginez votre tête nimbée d'un halo de lumière dorée. Inspirez et expirez profondément et lentement cinq fois de suite, tout en gardant votre attention sur l'auréole lumineuse et en la sentant rayonner depuis le sommet de votre tête.

Ensuite, portez votre attention sur votre gorge. Imaginez à nouveau cette sphère lumineuse émanant de la région de la gorge. Inspirez puis expirez cinq fois, tout en gardant votre attention sur cette lumière.

Descendez alors vers le centre de votre poitrine et, une fois encore, imaginez la lumière dorée irradiant depuis cette zone de votre corps. Respirez à nouveau cinq fois profondément, tout en ressentant l'énergie se diffuser de plus en plus.

Portez ensuite votre attention sur votre plexus solaire, visualisez la sphère de lumière dorée l'entourant, et en même temps respirez cinq fois lentement.

Maintenant, la lumière entoure et pénètre votre bassin, accompagnez-la de cinq respirations profondes tout en ressentant le rayonnement et l'expansion de l'énergie.

Pour terminer, imaginez que la sphère lumineuse enveloppe vos pieds, une fois encore respirez à cinq reprises.

Et maintenant, représentez-vous les six sphères lumineuses brillant en même temps, comme si votre corps était un collier de pierres précieuses rayonnant d'énergie.

Respirez profondément et à chaque expiration imaginez l'énergie descendant le long du côté gauche extérieur de votre corps, depuis le sommet de la tête jusqu'aux pieds. En inspirant, sentez cette énergie remonter le long de votre côté droit, jusqu'au sommet de la tête. Faites circuler l'énergie ainsi trois fois de suite.

Visualisez ensuite le courant d'énergie descendant du sommet de la tête vers les pieds, en passant sur le devant du corps, en même temps que vous expirez lentement. Puis, tout en inspirant, sentez ce même courant remonter le long du dos, jusqu'en haut du crâne. Répétez l'opération trois fois.

Maintenant, imaginez que l'énergie s'accumule à vos pieds, puis laissez-la remonter lentement à travers le centre *du corps, depuis les pieds jusqu'à la tête, rayonner du sommet du crâne telle une fontaine de lumière pour enfin redescendre vers les pieds par le côté extérieur du corps. Renouvelez cet exercice plusieurs fois, ou aussi longtemps que vous le désirez.*

Après cette méditation, vous serez à la fois profondément détendu, plein d'énergie et débordant de gaieté.

Créer son sanctuaire

Une des premières choses à faire lorsque l'on commence à pratiquer la visualisation créatrice est d'édifier en soi-même un sanctuaire où l'on puisse se retirer chaque fois qu'on le désire. Votre sanctuaire est votre lieu idéal de relaxation, de tranquillité et de sécurité. Créez-le entièrement à votre goût.

Fermez les yeux, et dans une position confortable, détendez-vous. Imaginez-vous dans un cadre naturel d'une grande beauté. Cela peut-être n'importe quel endroit qui vous plaise particulièrement : une prairie, le sommet d'une montagne, le cœur d'une forêt, le rivage d'un océan. Cet endroit peut même se trouver sous l'océan ou sur une autre planète. Où que cela soit, vous devez y trouver confort, agrément et sérénité. Explorez votre environnement, remarquez les détails, les bruits, les odeurs, toute sensation ou impression particulières.

Maintenant vous avez toute latitude pour rendre ce lieu encore plus familier et plus confortable. Vous pouvez y bâtir une maison, un abri, ou bien simplement l'entourer d'une aura dorée protectrice et sécurisante. Créez et arrangez les détails à votre gré, selon votre bon plaisir, ou accomplissez un rituel d'inauguration de votre retraite de prédilection.

Voici désormais votre sanctuaire intérieur privé, vous pouvez vous y rendre à volonté, rien qu'en fermant les yeux. Vous vous y sentirez toujours détendu, réconforté. C'est également pour vous un lieu de pouvoir particulier, et peut-être voudrez-vous y être pour chaque séance de visualisation créatrice.

De temps à autre vous pouvez constater que spontanément votre sanctuaire se transforme, ou que vous souhaitez le modifier ou le compléter. Vous pouvez être très créatif dans votre sanctuaire et bien vous amuser... mais avant tout, souvenez-vous d'en faire un lieu de sérénité, de tranquillité et d'absolue sécurité.

Rencontrer son guide

Nous avons tous en nous-mêmes toute la sagesse et la connaissance dont nous pouvons avoir besoin, grâce à notre esprit d'intuition qui est relié à l'intelligence universelle. Il nous est cependant bien souvent difficile de contacter notre sagesse supérieure. Un des meilleurs moyens pour y arriver est de rencontrer notre guide intérieur et de faire sa connaissance.

On peut connaître ce guide intérieur sous bien des noms différents : conseiller, guide de l'esprit, ami imaginaire ou maître. C'est un aspect supérieur de soi-même qui peut se manifester sous diverses formes, mais qui généralement apparaît sous les traits d'une personne ou d'un être auquel on peut parler et se confier comme à un ami sage et affectueux.

Voici un exercice qui vous aidera à rencontrer votre guide de l'âme. Vous pouvez demander à un ami de vous lire ces lignes pendant votre méditation, sinon, lisez-les vous-même, puis fermez les yeux et mettez en pratique.

Fermez les yeux et détendez-vous profondément. Retirez-vous dans votre sanctuaire intérieur et restez-y quelques minutes pour vous relaxer et vous orienter. Ensuite, imaginez qu'à l'intérieur de votre sanctuaire se trouve un chemin très long qui se perd à l'infini. Vous êtes sur ce chemin. Vous marchez et, au loin vous apercevez une silhouette venant à votre rencontre, elle diffuse alentour une lumière claire, brillante.

Comme vous vous rapprochez l'un de l'autre, vous commencez à distinguer si cette forme est un homme ou une femme, à quoi elle ressemble, quel est son âge, comment elle est vêtue. Plus elle se rapproche, plus les détails de son visage et de son apparence se précisent.

Saluez cet être et demandez-lui son nom. Acceptez le nom qui se présente à vous sans vous poser de questions à son sujet *.

Emmenez votre guide visiter votre sanctuaire, découvrez-le ensemble. Votre guide peut vous faire remarquer des détails qui n'avaient pas encore attiré votre attention, ou vous pouvez simplement ressentir la joie d'être dans la présence l'un de l'autre.

---

* En effet, ce n'est pas que le nom n'ait pas d'importance (ce doit être le contraire !), mais il ne faut pas « intellectualiser ».

Demandez à votre guide s'il ne voudrait pas vous dire quelque chose ou vous donner un conseil. N'hésitez pas à poser des questions précises. Les réponses peuvent être immédiates, mais si ce n'est pas le cas, ne vous découragez pas, elles viendront plus tard sous une forme ou une autre.

Lorsque vous pensez en avoir terminé ensemble, remerciez chaleureusement votre guide et demandez-lui de venir vous retrouver dans votre sanctuaire une prochaine fois.

Ouvrez les yeux et retournez au monde extérieur.

Il est difficile de généraliser l'expérience de la rencontre avec son guide tant cette expérience est différente suivant les personnes. Le critère essentiel, c'est que vous en retiriez une bonne impression. Sinon, soyez créatif et faites le nécessaire pour arranger cela.

Si vous n'avez pas perçu votre guide clairement et précisément, cela ne fait rien. Les guides gardent parfois l'aspect d'une lueur ou d'une silhouette indistincte et floue. L'important est de ressentir sa puissance, sa présence, son amour.

Si votre guide vous apparaît sous les traits déjà familiers, c'est bien, *à moins que* sa compagnie ne vous indispose, et dans ce cas, recommencez l'exercice et demandez à votre guide de venir sous une forme avec laquelle il vous soit facile et agréable d'entrer en relation.

Si votre guide vous semble quelque peu excentrique ou hors du commun, n'en soyez pas surpris... L'allure que les guides empruntent jaillit de notre propre esprit créatif qui ne connaît pas de limites. Il se peut donc que le vôtre soit doté d'un sens de l'humour déroutant et inhabituel, son nom peut être exotique, il peut avoir des talents de comédien. Il arrive également que les guides ne communiquent pas verbalement, mais par transmission directe de sentiments, d'impressions ou d'intuition.

Il se peut aussi qu'au fil du temps votre guide change de forme ou de nom, tout comme il peut demeurer le même pendant des années. Vous pouvez très bien avoir plusieurs guides en même temps.

Votre guide est à votre disposition, appelez-le lorsque vous ressentez le désir ou le besoin d'un supplément de conseils, de sagesse, de connaissance, de soutien, de créativité, d'amour ou de compagnie.

Beaucoup de ceux qui ont établi une relation avec leur guide le rencontrent chaque jour dans leur méditation.

La technique
de la bulle rose

Cette méditation est d'une simplicité et d'une efficacité fantastiques.

Exercice :

Asseyez-vous ou allongez-vous confortablement, fermez les yeux et respirez profondément, lentement et naturellement. Détendez-vous progressivement, de plus en plus complètement.

Imaginez quelque chose que vous aimeriez voir se réaliser ; imaginez que c'est déjà fait ; représentez-vous cela aussi clairement que possible.

Dans votre esprit, entourez maintenant cette image mentale d'une bulle rose ; mettez votre projet dans cette bulle. Le rose est associé au cœur, et si cette vibration de couleur environne ce que vous visualisez, vous n'obtiendrez que ce qui correspond parfaitement à votre être.

La troisième étape consiste à laisser la bulle s'échapper et à l'imaginer flottant dans l'univers, renfermant toujours votre vision. Cela symbolise votre détachement émotionnel de cet objectif. La bulle est désormais libre de flotter dans l'univers à son gré, attirant et accumulant l'énergie nécessaire à la réalisation du désir qu'elle transporte.

Vous n'avez rien d'autre à faire.

Méditations curatives

Se guérir soi-même

Asseyez-vous ou allongez-vous, respirez et détendez-vous profondément. Portez votre attention sur vos orteils, puis sur vos pieds, sur vos jambes, votre bassin et ainsi de suite sur chaque partie de votre corps, lui demandant de se détendre et de se débarrasser des tensions. Sentez chaque tension se dissoudre et disparaître.

Afin de favoriser la circulation d'énergie, vous pouvez pratiquer la méditation d'ouverture des centres d'énergie.

Imaginez maintenant autour de votre corps une lumière dorée, chargée d'énergie curative... ressentez-la... appréciez-la...

Si une partie quelconque de votre corps a été malade ou douloureuse, demandez-lui si elle a un message pour vous, demandez-lui si vous devez comprendre ou faire quelque chose de précis, tout de suite, ou bien sur l'ensemble de votre vie.

Si une réponse vous vient, faites tout votre possible pour la comprendre et pour en tenir compte. Si vous n'obtenez pas de réponse, continuez le processus.

Maintenant, envoyez à cette partie précise de votre corps, ainsi qu'à toute partie qui en a besoin, de l'énergie chargée d'amour et de puissance curative, et observez ou ressentez sa guérison. Au cours de ce processus vous pouvez très bien vous faire assister par votre guide, par un maître ou un guérisseur.

Représentez-vous le problème qui se résorbe et disparaît ou utilisez toute imagerie mentale efficace pour vous.

Imaginez-vous ensuite avec une santé parfaite, rayonnante et naturelle. Voyez-vous dans des situations variées, toujours à votre aise, plein de vitalité, dynamique, d'une beauté radieuse et divine.

Affirmations :

J'ai maintenant transcendé toute idée préconçue sur la maladie. Je suis libre et en bonne santé !

Je suis désormais rayonnant de santé et d'énergie.

J'aime mon corps et je l'accepte totalement.

Je suis bon envers mon corps, et mon corps est bon envers moi.

Je suis énergique et débordant de vitalité.

Mon corps est équilibré, en harmonie parfaite avec l'univers.

Je rends grâce de jouir d'une santé, d'une beauté et d'une vitalité chaque jour plus grandes.

Je suis une expression radieuse de Dieu. Mon esprit et mon corps expriment désormais la perfection divine.

Dorénavant, chaque fois que vous pratiquez cette méditation, représentez-vous uniquement en parfaite santé, entouré d'une lumière curative dorée. N'accordez plus de pouvoir ou d'énergie au « problème », à moins que vous n'ayez encore quelque chose à comprendre à son sujet.

Guérir les autres

Cette méditation doit être pratiquée seul, et *pas* en présence de la personne que l'on veut guérir. Vous pouvez informer cette personne du travail que vous faites pour elle afin de la soigner, mais si pour des raisons de personnalité elle n'acceptait pas cette démarche, ne lui dites rien.

Détendez-vous profondément, utilisez le mode de préparation qui convient le mieux pour vous plonger dans un état de conscience parfaitement calme.

Imaginez que vous êtes un canal à travers lequel l'énergie curative de l'univers se déverse. Cette énergie n'émane pas de votre personne, elle provient d'une source supérieure et vous ne faites que la concentrer et la diriger.

Représentez-vous maintenant la personne que vous voulez guérir, aussi clairement que possible.

Demandez-lui si elle désire que vous fassiez dans votre méditation quelque chose de particulier pour elle. Si la réponse est affirmative, et si elle vous semble appropriée, alors faites ce qui vous est demandé du mieux que vous pouvez.

Si vous avez l'impulsion de travailler sur une partie spécifique du corps de la personne, ou sur un de ses problèmes, faites-le. Représentez-vous tous les problèmes comme résolus, toute maladie soignée, chaque chose fonctionnant parfaitement.

Représentez-vous ensuite la personne enveloppée de lumière curative dorée... radieuse, saine et heureuse. Parlez-lui directement (mentalement), rappelez-lui qu'elle est véritablement un être parfait d'essence divine et qu'aucune maladie, aucune affliction ne peuvent avoir d'emprise sur elle. Dites-lui que vous la soutenez pour qu'elle soit totalement heureuse, en bonne santé, et que vous continuerez à lui envoyer amour et énergie.

Lorsque vous pensez avoir terminé, ouvrez les yeux puis retournez à vos occupations, rafraîchi, sain, revitalisé.

Dorénavant, dans vos méditations, représentez-vous la personne entièrement rétablie, n'accordez plus d'énergie mentale ni de pouvoir à la maladie, continuez simplement à voir la personne complètement guérie.

Guérisons de groupe
Les séances de guérison pratiquées en groupe sont très puissantes.

Si la personne à soigner est présente dans la salle, faites-la s'étendre au centre, ou encore

s'asseoir sur une chaise (la plus confortable possible), et que chacun s'assoie en cercle autour
d'elle.

*Chacun doit fermer les yeux, être calme et
profondément détendu, alors commencez à imaginez que vous envoyez de l'énergie curative à la
personne installée au centre du cercle. Souvenez-
vous bien que c'est l'énergie de guérison de l'univers qui est canalisée à travers vous. Voyez la personne entourée de lumière dorée, se sentant bien,
en parfaite santé.*

*Si vous le voulez, chacun peut lever les mains,
paumes face à la personne à guérir, et sentir
l'énergie s'écouler vers elle à travers les mains.*

*Pendant la séance de guérison, il est bon que
chaque participant psalmodie « OM » pendant quelques minutes, cela accentue la puissance du processus en y ajoutant la vibration curative du son.
(Pour chanter « OM », entonnez en une note longue
et grave la syllabe a-a-au-m-m et tenez-la aussi longtemps que possible, en la répétant sans cesse.)*

Si la personne à guérir n'est pas présente dans
la pièce, informez simplement les participants de
son nom et de la ville où elle se trouve, puis faites
comme si elle était là. La distance n'affecte en rien
la puissance de l'énergie curative, j'ai assisté personnellement à autant de guérisons miraculeuses
effectuées sur des personnes éloignées que sur des
personnes présentes dans la salle.

Méditation curative contre les douleurs
    Voici une technique de méditation que vous
pouvez pratiquer avec une personne souffrant

d'une migraine ou de toute autre douleur particulière :

*Demandez à la personne de s'allonger et de
fermer les yeux, puis de se détendre profondément. Qu'elle se concentre quelques instants sur
son souffle, respirant profondément et lentement
mais toutefois naturellement. Demandez-lui alors
de compter à rebours de dix à un lentement, se
laissant au fur et à mesure glisser dans un état
plus profond de relaxation.*

*Lorsque la personne est très détendue, faites-
lui imaginer une couleur brillante qu'elle aime (la
première qui se présente), demandez-lui de se la
représenter sous la forme d'une sphère de lumière
éclatante d'environ quinze centimètres de diamètre
et, graduellement, de la voir croître jusqu'à
occuper la totalité de l'écran de sa conscience.
Demandez-lui ensuite de visualiser cette même
sphère redevenant de plus en plus petite, jusqu'à
sa taille originelle, puis de la faire diminuer encore
juqu'à atteindre environ trois centimètres de diamètre et de continuer ainsi jusqu'à ce que la
sphère lumineuse disparaisse totalement.*

*Recommencez ensuite cet exercice de visuali-
sation, mais cette fois la personne doit imaginer
que la lumière est sa douleur.*

Invocation

Invoquer signifie « faire entrer » ou « faire appel ». L'invocation utilisée en méditation est une technique qui vous permettra de solliciter n'importe quelle sorte d'énergie ou de qualité.

Fermez les yeux et détendez-vous profondément. Pratiquez une méditation de mise en condition telle que l'amarrage et la circulation d'énergie ou l'ouverture des centres d'énergie, ou tout simplement, retirez-vous dans votre sanctuaire pour vous y relaxer et respirer profondément pendant quelques instants.

Lorsque vous vous sentez détendu et plein d'énergie, dites-vous intérieurement, mais fermement et clairement : « J'invoque maintenant la qualité d'amour». Sentez alors l'énergie de l'amour venir à vous, ou venir de quelque part en vous, vous envahir et rayonner vers l'extérieur. Vivez cette expérience totalement pendant quelques minutes. Vous pouvez ensuite diriger cette énergie vers un but précis en vous aidant de la visualisation et de l'affirmation.

La puissance de l'invocation peut vous permettre de faire appel à n'importe quelle qualité ou énergie désirée ou nécessitée...

force	chaleur
sagesse	clarté
sérénité	intelligence
compassion	créativité
douceur	pouvoir de guérison...

Le point important ici est de vous affirmer fermement et clairement que désormais la qualité invoquée vient à vous.

Une autre façon merveilleuse d'utiliser la puissance de l'invocation est d'appeler l'esprit ou l'essence d'une personne dotée de qualités que vous désirez. Lorsque vous invoquez un maître comme Bouddha, le Christ ou Marie, vous appelez en fait les qualités universelles qu'il symbolise et qui sont en chacun de nous. Si, par exemple, vous invoquez le Christ pour qu'il travaille en vous et à travers vous, vous appelez de façon très puissante vos propres qualités d'amour, de compassion, d'abandon de soi et de guérison.

Si vous vous sentez quelque affinité avec un maître, un précepteur ou un héros particulier, faites appel à lui chaque fois que vous avez besoin qu'il manifeste en vous ses qualités propres.

Cette méditation est très efficace pour cultiver un talent ou une compétence précis. Si, par exemple, vous étudiez la musique ou l'art, faites appel à un grand maître de ce domaine qui suscite votre admiration, imaginez qu'il vous aide et vous conseille, et ressentez son énergie créatrice et son génie vous envahir. Ne vous préoccupez pas des problèmes personnels ou des faiblesses qu'il a pu connaître, c'est sous son aspect *le plus élevé* que vous l'invoquez. Cette méditation peut donner des résultats étonnants.

Utilisation
de l'affirmation

Les affirmations peuvent être utilisées de bien des façons, plus puissantes et plus efficaces les unes que les autres, pour vous donner une vision des choses plus positive et plus créatrice et pour vous aider à réaliser vos désirs.

Rappelez-vous qu'il est important d'être *détendu* pendant les affirmations. Ne soyez pas attaché aux fruits de votre pratique. Souvenez-vous que vous *êtes* déjà tout ce dont vous avez besoin. Toute amélioration revient à glacer le gâteau.

Pendant la méditation

1. Dites-vous les affirmations silencieusement pendant la méditation ou la relaxation profonde ;

il est particulièrement recommandé de le faire également juste avant de se coucher, ou au réveil.

Affirmations parlées

1. Dites-les vous silencieusement ou à haute voix durant la journée, chaque fois que vous y pensez, particulièrement lorsque vous conduisez, pendant les tâches ménagères ou les travaux routiniers.

2. Dites-les vous à haute voix lorsque vous vous regardez dans la glace, surtout lorsqu'il s'agit d'affirmations visant à améliorer l'estime de soi et l'acceptation de son image personnelle. Regardez-vous droit dans les yeux et affirmez que vous êtes beau, digne d'être aimé, intéressant. Si vous ne vous sentez pas à l'aise, continuez jusqu'à ce que vous ayez dépassé ces barrières et que vous soyez capable de vous regarder en face et de vous aimer totalement. Vous remarquerez peut-être que ce processus peut faire ressurgir certaines émotions, puis les éliminer.

3. Enregistrez au magnétophone vos affirmations et repassez-les vous à la maison, en conduisant, etc. Servez-vous de votre prénom et pratiquez les affirmations à la première, la deuxième et la troisième personne du singulier. Par exemple : *« Moi, Shakti, je suis toujours profondément détendue et équilibrée ». « Shakti, tu es toujours profondément détendue et équilibrée ». « Shakti est toujours profondément détendue et équilibrée ».*

Vous pouvez également enregistrer un petit discours tenant sur trois ou quatre paragraphes et décrivant la vision idéale que vous avez de vous-même ou d'une situation particulière. Là encore, vous pouvez le faire aux trois premières personnes du singulier.

Affirmations écrites

1. Choisissez une certaine affirmation, puis écrivez-la dix à vingt fois d'affilée en *pensant réellement* aux mots que vous écrivez. Vous pouvez très bien modifier l'affirmation en cours de rédaction si une tournure plus adéquate vous vient à l'esprit. C'est une des techniques les plus puissantes que je connaisse, et pourtant l'une des plus simples. Je lui ai consacré un chapitre dans la quatrième partie de ce livre.

2. Ecrivez ou tapez à la machine des affirmations, puis affichez-les comme aide-mémoire dans différents endroits de votre maison, à votre travail... De très bons emplacements pour cela sont par exemple le réfrigérateur, le téléphone, votre miroir, votre bureau, au-dessus de votre lit, sur la table de la salle à manger.

Affirmations avec les autres

1. Si un de vos amis veut également travailler sur les affirmations, faites-le à deux, vous verrez, c'est très efficace. Asseyez-vous face à face, regardez-vous droit dans les yeux et, à tour de rôle, faites-vous des affirmations et acceptez-les.

David : « *Linda, tu es une personne merveilleuse, affectueuse et créatrice* ».

Linda : « *Oui, je le sais !* »

Répétez cela dix ou quinze fois de la même

façon, ensuite inversez les rôles, de sorte que Linda déclare l'affirmation à David et que David acquiesce. Essayez ensuite à la première personne :

David : « *Moi, David, je suis une personne merveilleuse, affectueuse et créatrice* ».

Linda : « *Oh oui, c'est ce que tu es* ».

Recommencez plusieurs fois.

Assurez-vous de déclarer ces affirmations sincèrement, en vous pénétrant de leur sens, même si au départ vous vous trouvez un peu ridicule. C'est une très bonne occasion d'exprimer amour et soutien moral à une autre personne, et de l'aider véritablement à changer ses concepts négatifs en concepts positifs.

Cet exercice vous garantit un échange d'amour très profond...

2. D'une façon plus informelle, vous pouvez demander à vos amis de vous faire fréquemment des affirmations. Si, par exemple, vous voulez affirmer que vous apprenez à vous exprimer plus facilement, demandez à un ami de vous dire souvent : « *Jeannie, il est évident que ces derniers temps tu parles et tu t'exprimes clairement !* »

Faites-en un jeu, vous verrez que ça vous aidera. Nous avons naturellement tendance à accorder beaucoup de poids aux dires de nos amis, qu'il s'agisse de compliments ou de critiques ; notre esprit tend à accepter ce que les autres disent de nous, c'est pourquoi une réponse positive et ferme, sous forme d'affirmation, de la part de nos proches, porte vraiment ses fruits.

3. Commencez à introduire des affirmations dans vos conversations — faites des déclarations

absolument positives au sujet des gens et des choses que vous désirez voir comme tels (y compris vous-même). Il est stupéfiant de constater les changements spectaculaires qui peuvent survenir rien qu'en commençant à parler consciemment d'une manière plus positive au cours de nos conversations quotidiennes.

Toutefois, je vous mets en garde : *n'utilisez pas* cette technique lorsqu'elle pourrait aller à l'encontre de vos sentiments véritables, ne la pratiquez pas quand vous vous sentez bouleversé ou fortement négatif, afin de ne pas avoir l'impression de vous réprimer. Pratiquez ces affirmations de façon constructive afin de permettre à vos modes d'expression inconscients négatifs et à vos idées préconçues de changer.

Affirmations chantées et psalmodiées

1. Apprenez des chansons qui décrivent la réalité que vous aimeriez créer. Ecoutez-les et chantez-les souvent. Notre état présent de conscience a été, en grande partie, modelé par des chansons populaires qui nous présentent une réalité dans laquelle on se sent désespérément dépendant de l'être aimé : on est prêt à mourir s'il nous abandonne, on se demande si la vie vaut d'être vécue si on ne peut « avoir » une certaine personne, et ainsi de suite.

Vous trouverez sur la liste des lectures recommandées quelques disques et cassettes présentant consciemment un point de vue tout à fait différent.

2. Composez vos propres chansons en y incor-

porant des affirmations sur lesquelles vous désirez travailler.

Quelques affirmations supplémentaires

Acceptation de soi
Je m'accepte totalement ici et maintenant.
Je m'aime comme je suis, et je vais de mieux en mieux.
J'accepte tous mes sentiments comme faisant partie de moi-même.
Peu importe comment je me sens, je suis beau et digne d'être aimé.
Désormais, je suis disposé à vivre tous mes sentiments.
C'est bon d'exprimer ses sentiments, désormais je me permets d'exprimer mes sentiments.
Je me plais lorsque j'exprime mes sentiments.

Pour se sentir bien
Il est bien que je m'amuse et me réjouisse, et je le fais!
J'aime faire ce qui me permet de me sentir bien.
Je suis toujours profondément détendu et équilibré.
Je ressens désormais une paix et une sérénité intérieures profondes.
Je suis heureux d'être au monde, j'adore la vie.

Relations
Je m'aime et j'attire naturellement des relations pleines d'amour.
J'ai des relations solides et affectueuses.

Je mérite l'amour et le plaisir sexuel.

Je suis désormais prêt à accepter une relation plénifiante et heureuse.

Je suis prêt à avoir des relations harmonieuses avec tous.

Plus je m'aime, plus j'aime _____.

J'aime _____ et _____ m'aime.

Toutes les difficultés entre _____ et moi sont désormais effacées et notre relation est merveilleuse.

L'amour divin travaille en moi maintenant pour établir une relation parfaite avec _____.

Maintenant, je rencontre exactement le type de relation que je désire.

Je suis désormais divinement irrésistible pour mon parfait compagnon.

Créativité

Je suis désormais un canal ouvert pour l'énergie créatrice.

Chaque jour, idées et inspiration créatrices me viennent.

Je suis l'architecte de ma vie.

Désormais, je crée ma vie exactement à mon goût.

Affirmations pour l'amour et l'assistance divins

Maintenant, l'amour divin travaille parfaitement dans cette situation pour le bien de tous.

Désormais, la lumière et l'amour divins travaillent à travers moi.

L'amour divin me précède et prépare le chemin.

Désormais, Dieu me montre le chemin.

*C'est maintenant ma sagesse intérieure qui me
    guide.*
*Je suis maintenant guidé vers la solution parfaite à
    ce problème.*
*La lumière qui est en moi accomplit des miracles
    dans mon corps, dans mon esprit et dans mes
    affaires, ici et maintenant.*

QUATRIÈME PARTIE

Techniques spéciales

Si vous voulez apprendre le secret
de relations parfaites,
recherchez le divin en tout homme
et en toute chose,
et laissez le reste à Dieu.

J. Allen Boone
tiré de *Kinship With All Life*

Un cahier
de visualisation
créatrice

Ce serait une très bonne chose d'avoir un cahier
dans lequel vous puissiez travailler sur la visualisation créatrice. Dans ce chapitre, je vous donne un
certain nombre d'exercices écrits que vous pouvez
faire et conserver dans votre cahier. Vous pourrez y
relever des affirmations que vous aurez entendues
ou qui vous seront venues à l'esprit, afin de vous y
référer en cas de besoin. Il existe encore bien des
façons créatives d'utiliser votre cahier, par exemple,
pour y noter vos rêves, vos caprices, pour tenir un
journal de vos progrès en visualisation créatrice,
pour recopier des idées ou des pensées inspirantes,
des citations de livres ou de chansons qui sont riches
de signification pour vous. Vous pouvez aussi des-

siner, ou composer vos propres chansons et poèmes
reflétant l'élargissement de votre conscience.

Je possède un tel cahier dans lequel je travaille régulièrement sur mes objectifs, affirmations, scènes idéales, cartes du trésor. Il m'a été
d'une aide précieuse dans le processus de transformation que ma vie a connu.

Voici quelques suggestions qui vous aideront
à commencer votre cahier :

1. **Affirmations.** Ecrivez vos affirmations
favorites. Vous pouvez dresser une liste sur une
page, vous pouvez également prendre une page par
affirmation, avec un cadre décoratif et des illustra-
tions, ainsi l'expérience sera plus belle encore
lorsque vous vous relirez et que vous vous arrê-
terez pour méditer sur ces lignes.

2. **Liste pour le Rayonnement.** Faites une liste
de tous les moyens par lesquels vous pouvez
rayonner de l'énergie envers le monde et votre
entourage, aussi bien de façon globale que d'une
manière plus personnalisée. Mettez dans cette liste
toutes les façons dont vous pouvez dispenser de
l'argent, du temps, de l'amour, de l'affection, de
l'appréciation, de l'énergie physique, de l'amitié,
des contacts directs ainsi que vos talents et dons
particuliers. Enrichissez et complétez votre liste à
chaque nouvelle inspiration.

3. **Liste de Succès.** Faites la liste de tous les
domaines où vous pensez bien réussir ou avoir
bien réussi dans le passé, de tous les succès que
vous avez pu avoir à un moment ou à un autre, et
cela pas seulement dans votre travail, mais pour
l'ensemble de votre vie.

Ecrivez tout ce qui a un sens pour vous, même si les autres ne le partagent pas. Complétez votre liste au fur et à mesure de vos souvenirs et de vos nouveaux succès. Cette liste vise à vous faire reconnaître vos qualités et vos capacités et à accroître votre énergie en vue de futures réalisations.

4. **Liste d'Appréciation.** Faites la liste de tout ce pour quoi vous êtes reconnaissant, de tout ce que vous êtes heureux de posséder dans la vie. Voici un excellent moyen pour éveiller vos qualités de cœur et votre conscience aux nombreuses richesses que nous avons tous dans notre vie et que nous considérons trop souvent comme un acquis normal. Cette démarche augmentera votre conscience de la prospérité et de l'abondance à tous les niveaux, et par là-même votre capacité à manifester ces valeurs.

5. **Liste d'Estime de Soi.** Dressez la liste de tout ce que vous aimez chez vous, toutes vos qualités. Il ne s'agit pas de « se regarder le nombril », mais de réaliser que mieux on se sent dans sa peau et plus on reconnaît ses merveilleuses qualités, plus l'on est heureux et capable d'aimer, plus on rayonne d'énergie créatrice, et plus grande est notre contribution au monde.

6. **Liste d'Appréciation de Soi.** Recensez tous les moyens possibles pour vous faire du bien, énumérez tout ce que vous pouvez vous offrir, rien que pour vous, pour votre satisfaction personnelle. Il peut s'agir de petites comme de grandes choses ; cependant, arrangez-vous pour que certaines soient facilement réalisables dans votre vie quotidienne,

et surtout faites-les ! Cela accroîtra votre sentiment de bien-être et de satisfaction dans la vie, et vous permettra ainsi d'organiser votre vie sur de meilleures bases.

7. **Guérison et Assistance.** Ecrivez le nom de toutes les personnes de votre connaissance qui nécessitent des soins ou une quelconque assistance. Attribuez-leur des affirmations spéciales, et chaque fois que vous ouvrirez votre cahier, ils recevront une nouvelle dose d'énergie de votre part.

8. **Lubies et Idées Créatrices.** Notez toute idée, plan ou rêve pour l'avenir, toute idée créatrice qui vous vient, même si elle semble un peu tirée par les cheveux ou si vous êtes persuadé de ne jamais la mettre en pratique. Cela vous aidera à assouplir et à stimuler votre imagination et votre capacité créatrice naturelle.

Peut-être éprouverez-vous quelque difficulté à trouver du temps à consacrer à votre cahier, mais en prenant quelques minutes par jour ou une ou deux heures chaque semaine, vous constaterez que beaucoup de travail s'accomplit à l'intérieur, au point que bien souvent il aurait fallu dépenser cent fois plus de temps et d'énergie sur le plan extérieur pour obtenir un résultat comparable.

Faire place nette *

Dans votre apprentissage de la visualisation créatrice, il se peut que vous rencontriez des blocages intérieurs qui vous retardent dans la recherche de votre intérêt supérieur.

Un «blocage» est un point où l'énergie ne circule pas librement ou bien stagne. Ces blocages sont dus, à l'origine, à des émotions ou à une crainte réprimées, un sentiment de culpabilité, de la colère (ressentiment) qui poussent la personne à se raidir et à se fermer aux niveaux spirituel, émotionnel, mental et même physique.

---

* Jeu de mot en anglais sur « clearing » : « éclaircir » et « nettoyer », faire le ménage...

Lorsqu'on est confronté à un blocage, à quelque niveau que ce soit, il faut rétablir la circulation de l'énergie immobilisée dans cette région. Voilà les points clefs dans ce travail :

1. Acceptation mentale et émotionnelle (ce qui se traduit à un niveau physique par la relaxation et le relâchement).

2. Observation claire qui permet de comprendre la cause profonde du problème — qui est toujours une attitude ou un point de vue restrictif.

Donc, lorsque nous travaillons sur une zone de la conscience où il y a un blocage, nous devons d'abord faire l'expérience, dans la mesure du possible, et avec une attitude d'amour et d'acceptation, de l'émotion que nous avons enfermée dans cette zone. Ainsi, l'énergie bloquée se déplace et l'on peut observer les attitudes ou les concepts négatifs sous-jacents responsables du problème. Une fois qu'on les a vus très clairement, on peut alors les laisser se dissoudre d'eux-mêmes.

D'une façon assez étonnante, on dirait que c'est le processus même par lequel on précise les concepts restrictifs et accepte les sentiments qui l'entourent qui agit de façon magique : la difficulté se résorbe presque inévitablement pour finalement disparaître une fois que l'on s'est compris et accepté. Et c'est bien plus simple encore que vous ne pourriez l'imaginer.

Le truc consiste à *s'aimer soi-même et à accepter,* avec compassion, que l'on puisse avoir un tel point de vue, tout en *réalisant clairement que l'on est disposé à s'en défaire* parce qu'il est limitatif, destructif, source d'échec, et parce qu'il *n'est pas vrai.*

Voici quelques préjugés communs, parmi les plus fréquents et les plus pénibles.

Je ne suis pas comme il faut... quelque chose ne va pas en moi... Je ne mérite pas que l'on s'intéresse à moi.

J'ai accompli de mauvaises actions (ou une mauvaise action) dans ma vie et donc je mérite de souffrir (d'être puni).

Les gens (y compris moi-même) sont fondamentalement mauvais, égoïstes, cruels, stupides, indignes de confiance, insensés, etc.

On est toujours en danger dans ce monde.

Il n'y a pas assez _____ (d'amour, d'argent, de bonnes choses) pour tous, donc :

Je dois me battre pour obtenir ma part du gâteau

ou

C'est sans espoir, je n'en aurai jamais assez

ou

Si je possède beaucoup, cela prive forcément quelqu'un d'autre.

La vie est souffrance, douleur, dur labeur... le bon temps n'y a pas sa place.

L'amour est dangereux... je pourrais en souffrir.

Le pouvoir est dangereux... je pourrais faire du mal à quelqu'un.

L'argent est la source de tous les maux. L'argent corrompt.

Le monde ne tourne pas rond, il en sera toujours ainsi, d'ailleurs ça n'arrête pas d'empirer.

Je ne suis pas maître de mon destin... je n'ai aucun moyen pour changer ma vie ou le monde.

En lisant ces idées négatives, voyez si certaines d'entre elles ne correspondent pas à quelque postulat plus ou moins inconscient de votre propre système de valeurs ou de votre structure émotionnelle.

Bien que ces points de vue négatifs sur la vie puissent sembler déprimants lorsqu'on les lit d'une seule traite, ils sont néanmoins partagés par chacun d'entre nous à un degré ou un autre. Si nous en étions libérés, nous serions tous des êtres pleinement réalisés, car seul notre degré d'acceptation de telles idées mesure ce qui nous sépare de la réalisation de notre nature divine.

Il n'est pas étonnant que nous ayons introduit ces concepts dans notre sens de la réalité, car il s'agit là d'idées extrêmement répandues dans notre monde contemporain. En fait, elles le gouvernent mais, heureusement, la situation est en train d'évoluer très vite.

Ce qu'il faut bien comprendre, c'est qu'il s'agit là de croyances, sans aucune réalité objective propre. Ce qui leur donne l'*apparence* de la vérité, c'est qu'autour de nous la plupart des humains y croient et se comportent en conséquence.

La chose la plus efficace que vous puissiez faire pour changer le monde (et c'est vraiment très efficace), c'est de changer vos propres conceptions au sujet de la vie, des gens, de la réalité pour les rendre plus positives... et bien sûr d'agir en conséquence.

Ce livre vous donnera certains moyens pour y parvenir.

Exercices d'éclaircissement

Si vous avez des difficultés à atteindre un certain objectif, si vous sentez en vous une résistance à sa réalisation, essayez cet exercice :

1. Prenez un morceau de papier et écrivez en haut, « La raison pour laquelle je ne peux pas avoir ce que je veux est... », puis commencez immédiatement à dresser la liste de toutes les pensées qui vous viennent à l'esprit pour compléter cette phrase. N'y consacrez pas trop de temps et ne prenez pas cela trop au sérieux. Ecrivez rapidement vingt ou trente raisons qui vous traversent l'esprit, même si elles paraissent saugrenues ou stupides. Voici un exemple d'une telle liste.

La raison pour laquelle je ne peux pas avoir ce que je veux est...

Je suis trop paresseux
Je n'ai pas assez d'argent
Ça n'existe pas
J'ai déjà essayé, ça n'a jamais marché
Maman a dit que je ne pourrais pas
Je ne veux pas
C'est trop difficile
Ça me fait peur
John n'apprécierait pas
C'est trop drôle
                    et ainsi de suite...

2. Reprenez le même exercice, mais cette fois en précisant ce que vous voulez ; par exemple : « La raison pour laquelle je ne peux avoir le bon emploi que je veux est... » et continuez comme la première fois.

Ensuite, regarder tranquillement votre liste

pendant quelques minutes et voyez si ces pensées jetées sur le papier sonnent juste, si vous y croyez d'une façon ou d'une autre, et faites-vous ainsi une idée du genre de limites que vous vous imposez à vous-même et à votre monde.

3. Maintenant, faites une liste de toutes les attitudes les plus négatives que vous ayez, à votre propre sujet, concernant vos amis, les gens, le monde, la vie.

A nouveau, considérez calmement votre liste, et trouvez, parmi toutes les idées écrites, celles qui peuvent consciemment ou inconsciemment avoir une emprise émotionnelle sur vous.

Si à n'importe quel moment, pendant ces exercices, vous sentez remonter en vous certaines émotions, laissez-les venir et vivez-les autant qu'il vous est possible de le faire, en les acceptant totalement. Vous pouvez avoir une résurgence d'une expérience passée, ou de quelque chose que vos parents ou vos professeurs avaient coutume de vous dire et qui, d'une certaine façon, a programmé votre perception du monde.

4. Lorsque vous pensez en avoir terminé avec ce processus, particulièrement si vous avez retrouvé un ou plusieurs de vos principes négatifs, déchirez la liste et jetez-la. Cela symbolise le peu d'emprise que ces idées doivent avoir sur votre vie.

Ensuite, restez tranquillement assis, détendez-vous et pratiquez les affirmations pour remplacer ces vieilles idées étriquées et limitées par d'autres plus positives, plus constructives et plus larges.

Voici quelques affirmations d'éclaircissement possibles :

Je me soulage maintenant de tout mon passé. C'est fini, et je suis libre !

Maintenant je dissous tous les préjugés négatifs et limitatifs. Ils n'ont plus pouvoir sur moi.

Désormais je pardonne et décharge tout le monde dans mon existence. Nous sommes tous heureux et libres.

Je n'ai pas à essayer de plaire aux autres. Par nature, je suis digne d'être aimé, apprécié, quoi que je fasse !

Je me débarrasse maintenant de tout ce que j'ai pu accumuler comme sentiments de culpabilité, peurs, ressentiments, déceptions et rancunes. Je suis libre et sans entraves !

Toutes mes images et mes attitudes négatives à mon propre sujet sont maintenant dissoutes. Je m'aime et je m'apprécie !

Tous les obstacles à ma totale expression dans la vie et à ma pleine jouissance de l'existence sont maintenant dissous.

Il fait bon vivre sur cette terre.

L'univers nous vient toujours en aide.

Autres exercices d'éclaircissement

1. Pardonner et absoudre. Sur une feuille de papier, écrivez le nom de tous ceux qui vous ont un jour maltraité, blessé, qui ont été injustes envers vous ou bien envers qui vous éprouvez ou avez éprouvé du ressentiment, de la rancœur ou de la colère. En face de chaque nom, notez la nature de l'offense subie ou du ressentiment éprouvé.

Ensuite, fermez les yeux, détendez-vous, et

visualisez chaque personne, une à une. Discutez un peu avec chacune d'elles et expliquez-lui que dans le passé vous avez éprouvé de la colère à son égard ou que vous avez pensé du mal d'elle, mais que désormais, vous allez faire votre possible pour tout lui pardonner, pour dissoudre et libérer toute l'énergie restée prisonnière entre vous. Bénissez chaque personne et dites-lui : « Je te pardonne et te libère. Va et sois heureux. »

Une fois ce processus achevé, écrivez sur le papier « Maintenant, je vous pardonne et vous libère tous », puis jetez le papier en guise de symbole de votre détachement vis-à-vis de vos expériences passées.

Nombreux sont ceux qui trouvent ce processus de pardon miraculeux lorsqu'il s'agit de se défaire immédiatement de ce vieux fardeau de ressentiment et d'hostilité accumulés. Ce qui est merveilleux, c'est que les autres personnes impliquées recevront votre pardon, à un niveau subtil, et que leur vie aussi en sera éclairée, même si vous ne les revoyez pas.

Avec certaines personnes, l'expérience de soulagement et de libération ne se fera peut-être pas sentir du premier coup, spécialement avec des parents, un conjoint ou une autre personne très importante dans votre vie. Dans ce cas, continuez ce processus de temps en temps, continuez à bénir et à pardonner autant que votre cœur peut le faire, et tout finira par s'arranger. (Rappelez-vous que vous faites cela dans votre *propre* intérêt, pour votre bien-être et votre joie.)

De nombreux cas de guérisons miraculeuses de troubles physiques ont été observés après l'application de ce processus, car de nombreux maux physiques tels que le cancer, l'arthrite, sont directement liés à une accumulation de colère et de rancune.

2. Maintenant, écrivez le nom de toute personne que vous pensez avoir blessée un jour, ou envers laquelle vous avez été injuste, et spécifiez la nature de l'offense.

A nouveau, fermez les yeux, détendez-vous et imaginez chaque personne tour à tour. Dites à chacune ce que vous lui avez fait et demandez-lui de vous pardonner et de vous bénir; représentez-vous la personne le faisant.

Une fois le processus terminé, écrivez en bas de la page (ou en travers) « Je me pardonne et m'absous de toute culpabilité, ici, maintenant et pour toujours! » Puis déchirez le papier et jetez-le.

Pour finir le « grand nettoyage »

Faites le tour de vos armoires, tiroirs, cave, garage ou bureau, de tous les endroits où vous avez entassé des bricoles inutiles, et jetez-les ou donnez-les.

Cette démarche concrète et énergique sur le plan matériel est symbolique de votre travail au niveau mental, émotionnel et psychique - se débarrasser des vieux objects inutiles, laisser circuler l'énergie et « mettre de l'ordre dans sa maison ». Vous vous sentirez extraordinairement bien surtout si vous faites des affirmations en même temps, comme par exemple :

« Plus je rayonne, plus je fais de la place pour accueillir de bonnes choses. »

« J'aime donner et j'aime recevoir. »

« En nettoyant et en déblayant mon environnement physique, je nettoie et j'éclaircis ma vie toute entière. »

« Maintenant, je mets ma vie en ordre, me préparant à accepter tout le bien qui m'arrive. »

« Je rends maintenant grâce pour tout le bien que j'ai et tout ce qui est encore à venir. »

Ecrire
des affirmations

La technique que je vais vous livrer maintenant a produit dans ma vie, à bien des reprises, des changements extrêmement rapides et spectaculaires. Elle combine les affirmations écrites et le processus d'éclaircissement en un mélange harmonieux. Je l'aime pour sa simplicité et sa facilité, qui d'ailleurs n'ôtent rien à sa profonde efficacité.

L'écriture d'affirmations est une technique très dynamique car le mot écrit a énormément de pouvoir sur notre esprit. Dans ce processus, nous écrivons et nous lisons les mots en même temps, c'est faire d'une pierre deux coups.

Prenez une affirmation avec laquelle vous souhaitez travailler et écrivez-la dix ou vingt fois de suite sur une feuille de papier. Utilisez votre propre nom et essayez d'écrire aux première, deuxième et troisième personnes du singulier: «Moi, John, je suis un chanteur et un compositeur de talent. John, tu es un chanteur et un compositeur de talent. John est un chanteur et un compositeur de talent».

Ne vous contentez pas d'écrire machinalement, pensez vraiment à la signification des mots en les écrivant. Si vous sentez la moindre résistance, le moindre doute ou pensée négative à l'égard de ce que vous écrivez, retournez votre feuille de papier et écrivez au verso cette pensée négative ou la raison pour laquelle l'affirmation ne peut être vraie ou ne peut fonctionner. (Par exemple: «Je ne suis vraiment pas à la hauteur» «Je suis trop vieux» «Ça ne marchera pas»). Revenez ensuite à vos affirmations.

Lorsque vous avez terminé, regardez le verso de votre feuille. Si vous avez été honnête, vous aurez un bon aperçu des raisons qui vous empêchent d'avoir ce que vous voulez dans cette situation précise.

Pensez alors à des affirmations qui pourraient vous aider à neutraliser ces craintes, ces préjugés négatifs, et écrivez-les. Vous pouvez également vous en tenir à l'affirmation d'origine si elle vous semble efficace, ou la modifier pour la rendre plus adéquate.

Pratiquez cette technique d'affirmations écrites une à deux fois par jour, et cela sur plusieurs jours. Lorsque vous pensez avoir bien compris les éléments de votre programmation négative,

*cessez de les écrire et continuez à mettre sur le
papier seulement les affirmations.*

Grâce à ce processus, j'ai remarqué que mes
affirmations, quelles qu'elles soient, se concréti-
sent souvent en l'espace de quelques jours, parfois
même de quelques heures. De plus, cela m'a généralement fourni des aperçus intéressants sur mes
propres schémas de fonctionnement.

Se fixer
des objectifs

L'élément le plus délicat dans la réalisation de vos désirs, c'est peut-être de savoir ce que vous désirez vraiment. Et pourtant, c'est bien l'aspect le plus important du processus.

J'en fais à chaque fois l'expérience dans ma propre vie : à partir du moment où je suis clairement déterminée à concrétiser quelque chose, cela se produit presque immédiatement (souvent dans les heures ou les jours qui suivent) avec très peu d'efforts. Il se produit comme un « déclic » dans ma conscience lorsque soudain je fais l'expérience, très fortement, de ce que je veux, tout en ressentant avec la même force que je vais l'avoir... Mais avant d'atteindre ce stade de clarté d'esprit, il me faut généralement un certain temps de pratique appropriée en y consacrant suffisamment d'énergie. Il est très fréquent aussi que ce « déclic de clarté intérieure » ait été précédé de sentiments de confusion, de désespoir, etc., qu'il m'a fallu dépasser. Donc, ne vous démoralisez pas... l'heure la plus obscure précède de peu l'aube.

La découverte de ce que vous désirez dans la vie peut être facilitée si vous vous fixez des objectifs. Pour cela, je vous propose quelques exercices écrits qui m'ont souvent été utiles. Lorsque vous établissez vos objectifs, il est bon d'avoir à l'esprit certains éléments :

Rappelez-vous que se fixer des buts ne signifie *pas* qu'il faille absolument s'y tenir. Vous pouvez en changer aussi souvent que vous le souhaitez ou quand vous sentez que c'est nécessaire.

N'oubliez pas non plus que lorsqu'on s'est fixé un objectif, il ne s'agit *pas* de le poursuivre dans l'effort, l'acharnement ou la lutte. Il ne s'agit pas d'être émotionnellement dépendant de sa réussite. Au contraire, se fixer des objectifs peut permettre d'évoluer dans la vie plus facilement, sans effort et agréablement. La nature de la vie est de changer, de créer, et un objectif donne un point focal et une direction précise pour canaliser son énergie créatrice naturelle. C'est ainsi que l'on peut rayonner plus facilement, faire progresser le monde et en même temps accroître son bien-être et sa satisfaction. Les objectifs sont là pour vous aider et vous soutenir dans votre intention véritable.

On peut se fixer des buts dans l'optique que

la vie est un jeu agréable, qui de plus peut être très gratifiant. Il ne faut pas prendre ses objectifs trop au sérieux ni leur accorder trop de poids. Cependant, il convient de leur en donner suffisamment pour qu'ils aient une réelle valeur pour vous.

Le seul fait de choisir des objectifs peut éveiller en vous certaines résistances émotionnelles qui peuvent se traduire de différentes manières : vous sentir déprimé, désespéré, accablé à l'idée d'établir un but précis. Vous pouvez également chercher à vous distraire en mangeant, en dormant, ou par toute autre forme de diversion. Ces réactions émotionnelles (si vous les avez) sont autant de signes vous éclairant sur les moyens par lesquels vous évitez de réaliser vos désirs. Il est important d'aller de l'avant, de faire l'expérience de ces sentiments, de ces actions, d'en faire le tour et de continuer le processus. Lorsque vous le posséderez mieux, vous en apprécierez toute la valeur.

Vous trouverez alors que ce processus ouvre des horizons nouveaux, il vous plaira par son côté amusant et illuminera votre vie. C'est ce que je souhaite !

Ne faites pas du choix de vos objectifs une affaire trop compliquée ni trop sérieuse. Commencez par des choses simples et évidentes, et souvenez-vous que vos buts peuvent toujours se modifier ou évoluer au cours du temps.

Exercices

1. Asseyez-vous, muni d'un stylo et d'une feuille de papier, puis recopiez les rubriques suivantes :

Travail/carrière
Argent
Style de vie/possessions
Relations
Créativité
Loisirs/voyages
Evolution personnelle/éducation
Maintenant, tout en ayant à l'esprit votre situation actuelle, écrivez sous chaque rubrique quelles choses vous souhaiteriez posséder, changer ou améliorer dans un avenir proche. Que cela ne tourne pas à l'obsession, jetez simplement sur le papier les idées qui vous paraissent possibles.

Le but de cet exercice est de vous donner une ouverture et de vous faire penser à ce que vous désirez dans ces différents domaines de votre vie.

2. Prenez une autre feuille de papier, écrivez en haut : « Si je pouvais être, faire et avoir tout ce que je veux, voilà quel serait mon cadre de vie idéal : »

Enumérez à nouveau les sept mêmes rubriques en faisant suivre chacune d'elles d'un paragraphe ou deux (ou autant que vous le voulez !) décrivant la situation correspondante d'une façon aussi idéale qu'il vous est possible de l'imaginer.

Le but de cet exercice est d'ouvrir votre conscience et de vous faire sortir de vos limites. Laissez parler votre imagination et accordez-vous réellement tout ce que vous pouvez désirez.

Lorsque l'exercice est terminé, ajoutez à votre

liste une nouvelle rubrique : situation du monde/environnement. Décrivez les changements dont vous aimeriez être témoin durant le cours de votre vie si vous pouviez changer les choses : paix mondiale, extinction de la pauvreté, l'éveil à la conscience individuelle et planétaire, les écoles transformées en centres d'études captivants, les hôpitaux changés en véritables lieux de guérison... Cette rubrique peut vous permettre d'exprimer toute votre créativité et de découvrir en vous toutes sortes d'idées intéressantes que vous n'aviez jamais soupçonnées jusqu'alors.

Ensuite, relisez le tout et méditez quelques instants ; créez mentalement l'image d'une vie merveilleuse dans un monde merveilleux.

3. Reprenez une feuille de papier vierge et faites une liste des dix ou douze objectifs primordiaux pour vous, compte tenu des éléments significatifs ressortant du cadre de vie idéal que vous venez de dresser. Faites cela selon votre humeur de l'instant présent. *Souvenez-vous que vous pouvez changer ou modifier cette liste à tout moment (d'ailleurs vous devriez le faire de temps en temps).*

4. Maintenant, écrivez : Mes objectifs pour les cinq années à venir, et énumérez ceux auxquels vous accordez le plus d'importance et que vous aimeriez atteindre dans les cinq ans.

Il est très bon de donner à vos objectifs une tournure d'affirmation, comme s'ils étaient déjà atteints ; cela leur donne un plus grand impact. Par exemple :

Je possède désormais huit hectares de terrain

à la campagne, une maison magnifique, des vergers, une petite rivière et de nombreux animaux.

Désormais, je subviens à mes besoins facilement et abondamment, en interprétant mes propres chansons devant des publics enthousiastes.

Quand vous écrivez vos buts, assurez-vous de bien énumérer des objectifs réels, significatifs à vos yeux, auxquels vous aspirez vraiment et *non pas* auxquels vous *devriez aspirer*. Personne n'a besoin de voir cette liste, à moins que vous ne le vouliez. Ce processus réclame de votre part une honnêteté absolue vis-à-vis de vous-même.

Reprenez le processus précédent en l'appliquant à vos objectifs pour l'année. Ne vous en fixez pas un trop grand nombre. Si, au premier jet, vous en avez beaucoup, faites un tri pour n'en conserver que cinq ou six, les plus importants. Vérifiez qu'ils sont bien dans la lignée de vos buts pour cinq ans ; c'est-à-dire, assurez-vous bien qu'ils prennent la même direction générale, de telle sorte que les objectifs à accomplir la première année vous rapprochent de votre but pour l'ensemble des cinq ans à venir. Par exemple, si l'un de vos objectifs sur cinq ans est de monter votre propre affaire, un de ceux pour l'année pourrait être d'économiser un peu d'argent à cette fin, ou d'avoir un emploi dans une affaire similaire afin d'y acquérir l'expérience dont vous avez besoin.

Maintenant, occupez-vous de vos objectifs sur six mois, puis un mois, une semaine. Procédez toujours avec simplicité et ne choisissez que les trois ou quatre buts les plus importants. En ce qui concerne les objectifs à courte échéance, soyez réaliste quant à vos possibilités de les atteindre et veillez à ce qu'ils aillent bien dans le même sens que vos buts à long terme.

Il peut vous sembler difficile de formuler avec autant de précision des objectifs aussi éloignés dans le temps ; vous pouvez être embarrassé d'avoir ainsi à planifier votre vie. Mais faire un plan ne signifie pas que vous serez obligé de le suivre : en réalité, vous allez certainement changer beaucoup entre-temps. Cet exercice vous amène à :

a) vous affirmer dans la pratique du choix de vos objectifs,

b) reconnaître que certains de vos fantasmes, *peuvent* devenir réalité si vous le désirez,

c) prendre conscience de certains buts importants, de certaines tendances de votre vie.

Pourquoi ne pas garder trace de vos objectifs dans votre cahier ? De temps en temps, environ une fois par mois ou lorsque vous en éprouvez le besoin, asseyez-vous avec votre cahier et reprenez certains exercices, reconsidérant et reformulant vos buts. Prenez soin de dater vos feuilles chaque fois et gardez-les en ordre dans votre cahier. Il est instructif et intéressant d'y jeter un coup d'œil rétrospectif et de voir leur évolution.

Quelques règles générales

1. Pour des objectifs à court terme (une semaine, un mois), soyez vraiment simple et réaliste. Choisissez des choses que vous êtes pratiquement sûr de pouvoir réaliser, à moins que vous ne vouliez vous lancer un grand défi (ce qui peut par-

fois être très positif). Plus l'échéance de votre but est lointaine, plus vous pouvez manifester d'imagination et d'ouverture d'esprit, de sorte que votre horizon ne peut que s'élargir constamment.

2. Lorsque vous n'avez pas réussi à atteindre certains objectifs (cela arrivera sûrement), ne vous blâmez pas, ne pensez pas que vous avez échoué : simplement reconnaissez clairement que vous n'avez pas accompli ce que vous vous étiez fixé et demandez-vous si c'est toujours un objectif pour vous ; en d'autres termes, voulez-vous toujours le poursuivre, ou désirez-vous l'oublier ? Il est de la *plus haute importance* de reconnaître ainsi qu'un but n'a pas été atteint, sinon, ces objectifs manqués vont s'accumuler dans votre esprit et vous penserez inconsciemment avoir « échoué », ce qui finalement vous amènera à éviter ce genre d'exercices.

3. Lorsque vous jugez que votre objectif (même très modeste) est *atteint*, prenez soin de le reconnaître. Félicitez-vous et accordez-vous quelques instants pour savourer la victoire. Trop souvent, nous réalisons nos désirs sans même le remarquer, sans même apprécier notre succès !

4. Au début, n'essayez pas d'en faire trop. Fixez-vous des objectifs qui vous plaisent. Si vous vous sentez dépassé, confus, découragé, simplifiez ! Vous pouvez par exemple entreprendre de travailler sur des objectifs concernant un domaine spécifique de votre existence : emploi, relations... Ce procédé doit avant tout vous aider à apprécier davantage votre vie.

Si la majorité de vos plans ne débouche pas sur l'issue désirée, c'est peut-être que vous fixez votre cible trop haut, ou bien que vous ne désirez pas vraiment ce qui constitue votre but, et, que donc vous n'avez pas une intention intérieure profonde de réussir. Choisissez des buts pour lesquels votre désir et votre attrait sont authentiques. Vos objectifs doivent vous apporter *bien-être* et élévation, ils doivent élargir votre conscience, vous faire plaisir, vous défier. Sinon, trouvez-en d'autres !

Tableau idéal

La visualisation créatrice peut se faire sous forme d'imagerie mentale, de conversation intérieure, elle peut utiliser des mots prononcés (affirmations), des mots écrits, une image physique (carte du trésor). Tout ce qui vous aide à établir un « plan » clair à mettre en pratique est votre allié pour la visualisation créatrice.

Cet exercice vous aidera à créer une image précise grâce aux mots écrits. En le pratiquant, vous aurez une vision plus nette de vos véritables désirs et vous aurez plus de facilité à les concrétiser. Moi-même, je l'utilise pour mes objectifs importants.

Exercice

Pensez à un objectif qui vous tient à cœur, qu'il soit à longue ou à brève échéance.

Décrivez-le en une phrase, aussi précisément que possible.

Ecrivez en-dessous Tableau Idéal *et continuez à décrire la situation exactement comme vous la concevez une fois que votre objectif sera atteint. Décrivez-la au présent, comme si elle existait déjà, avec autant de détails que vous le désirez.*

Lorsque vous avez terminé, écrivez en bas de la feuille :

Cela ou quelque chose de mieux se produit maintenant, de façon entièrement satisfaisante et harmonieuse »,

Ajoutez-y éventuellement d'autres affirmations, puis signez.

Ensuite, assis confortablement, relaxé, dans un état méditatif, visualisez votre tableau idéal et dites vos affirmations.

Gardez cette description idéale dans votre cahier dans votre bureau, près de votre lit, ou suspendez-la au mur. Relisez-la souvent et modifiez-la en fonction des besoins. Portez-y votre attention pendant vos méditations.

Attention... si vous oubliez votre description idéale dans un tiroir, vous risquez bien un jour de constater qu'elle s'est manifestée... même si vous aviez cessé de lui apporter consciemment de l'énergie.

J'ai souvent repris mes anciens objectifs, mes vieux tableaux idéaux et mes cartes du trésor, et j'ai remarqué à ma grande surprise que, bien que totalement oubliés, ils avaient pris forme comme par enchantement, et presque exactement comme je les avais conçus.

Les cartes du trésor

La technique des « cartes du trésor » est très puissante, et de plus très amusante.

Il s'agit d'une représentation physique concrète de ce que vous désirez. Sa valeur est considérable car elle crée une image claire et nette qui peut attirer et concentrer l'énergie sur la cible. C'est exactement la même chose que d'établir les plans d'une construction.

Vous pouvez dessiner cette carte, la peindre, vous pouvez aussi réaliser un montage avec des images et des lettres découpées dans des magazines, des livres, des cartes, des photographies, des dessins, etc... Si le résultat ne vous paraît pas très esthétique, ne vous en faites pas. Les cartes du trésor simples et enfantines sont aussi efficaces que les œuvres d'art !

La carte du trésor devrait vous faire figurer dans votre tableau idéal, comme si vous aviez totalement atteint votre but.

Voici quelques lignes directrices qui vous aideront à réaliser des cartes du trésor très efficaces :

1. Dressez une carte du trésor pour un objectif isolé (ou un domaine particulier de votre vie), afin de pouvoir y inclure facilement tous les détails. Cela permet à l'esprit de se concentrer sur la carte plus facilement que si tous vos buts y figuraient. Vous pouvez faire une carte pour le domaine relationnel, une pour le travail, une pour votre développement spirituel, et ainsi de suite.

2. La dimension de votre carte importe peu, pourvu qu'elle soit pratique. Vous pouvez l'insérer dans votre cahier, l'accrocher au mur ou l'avoir dans votre poche ou votre portefeuille. Personnellement, je réalise mes cartes sur carton léger (bristol), plus résistant que le papier.

3. Assurez-vous de bien vous être représenté sur l'image. Pour plus de réalisme, utilisez une photo de vous, sinon dessinez-vous. Sur l'image, vous devez être, faire ou avoir ce qui fait l'objet de votre but (voyageant autour du monde, portant de nouveaux vêtements, auteur fier de son dernier livre, etc...)

4. Dépeignez la situation dans son aspect idéal, achevé, comme si elle était déjà réalisée. Vous n'avez pas besoin d'indiquer *comment* les choses vont se dérouler. Il s'agit là d'un produit fini. Bannissez tout détail négatif ou indésirable.

5. Mettez-y beaucoup de couleur afin d'accroître la puissance et l'impact de la carte sur votre conscience.

6. Faites une carte qui vous semble crédible et sur laquelle vous êtes dans une situation réaliste.

7. Placez-y des symboles de l'infini évocateurs et puissants pour vous. Cela peut être le signe « om », une croix, le Christ, Bouddha, un soleil rayonnant ou tout ce qui représente l'intelligence universelle ou Dieu. C'est un témoignage de reconnaissance et un rappel de l'origine infinie de toute chose.

8. Ecrivez des affirmations sur votre carte du trésor : « *Là, je conduis mon nouveau camping-car Datsun, je l'aime beaucoup et j'ai tout l'argent qu'il faut pour l'entretenir* ».

N'oubliez pas non plus l'affirmation cosmique : « *Cela ou mieux encore se réalise pour moi, de façon totalement satisfaisante et harmonieuse pour tous* ».

L'élaboration de cette carte du trésor est une étape très puissante vers l'accomplissement de votre souhait. Une fois votre carte achevée, consacrez quelques minutes chaque jour à la regarder tranquillement, et de temps en temps, pendant la journée, accordez-lui une pensée. C'est tout !

Quelques idées de cartes du trésor

Voici quelques suggestions qui stimuleront votre imagination :

Santé : Représentez-vous radieux, en pleine santé, actif, beau, engagé dans une activité traduisant la santé parfaite.

Poids ou condition physique : Représentez-vous avec un corps parfait (découpez dans un catalogue une photographie représentant ce à quoi *vous* ressembleriez dans votre condition idéale, et collez une photo de vous à la place de la tête. Ayez une bonne opinion de vous-même. Vous pouvez affirmer des choses en vous servant de bulles comme dans les bandes dessinées, par exemple : *« Maintenant que je pèse 65 kg je me sens bien, j'ai une allure fantastique et ma condition physique est excellente »*.

Image de soi, beauté : Représentez-vous comme vous aimeriez être... beau, détendu, appréciant la vie, chaleureux et affectueux. Introduisez des symboles et des mots qui évoquent en vous ces qualités.

Relations : Faites une carte avec des photos de vous et de vos amis, de ceux que vous aimez, de votre mari, votre femme ou vos enfants. Ajoutez-y des images, symboles et affirmations montrant que vous êtes heureux, plein d'amour, ouvert et disponible, engagé dans une relation sexuelle merveilleuse et intense, etc...

Si vous recherchez une nouvelle relation, trouvez des images et des mots représentant des qualités que vous désirez trouver chez la personne en question et dans votre relation. Représentez-vous avec votre compagnon idéal.

Emploi, situation : Représentez-vous dans le travail que vous voulez vraiment faire, entouré de collègues intéressants et agréables, gagnant beaucoup d'argent (soyez précis sur la somme que vous désirez gagner), à l'endroit que vous désirez, et avec tous les détails nécessaires.

Créativité : Utilisez des symboles, couleurs et images traduisant l'épanouissement de votre créativité. Montrez-vous engagé dans la création de choses belles et intéressantes, faites ressortir la joie que cela vous procure.

Famille et amis : Représentez des membres de votre famille ou des amis ayant avec vous et entre eux des relations débordantes d'amour et d'harmonie.

Voyages : Représentez-vous là où vous désirez être, disposant de tout le temps et l'argent qu'il faut pour y vivre heureux.

Et ainsi de suite. Vous avez saisi. Amusez-vous bien !

Santé et beauté

La visualisation créatrice offre de nombreux moyens d'entretenir ou d'améliorer la santé, la forme physique et la beauté. Comme tout le reste, notre santé et notre rayonnement (pouvoir d'attraction) dépendent de nos attitudes mentales, c'est pourquoi, en changeant notre mentalité et nos relations avec nous-mêmes et le monde extérieur, nous pouvons provoquer de grandes transformations au niveau physique.

Dans ce domaine particulier, nous avons déjà considéré la valeur des cartes du trésor. Voici maintenant d'autres techniques que j'aime beaucoup pratiquer. Je suis sûre que vous en trouverez bien d'autres par vous-mêmes.

Exercice physique

Quel que soit l'entraînement physique que vous pratiquez, la visualisation créatrice et l'affirmation vous aideront à en retirer le maximum de bénéfices et de joies. Vous pouvez utiliser la visualisation créatrice aussi bien pendant l'exercice physique lui-même qu'à d'autres moments, par exemple pendant la méditation ou la relaxation.

Si, par exemple, vous aimez courir, imaginez que vous courez très rapidement, aisément, sans vous fatiguer. Pendant la course, imaginez qu'à chaque pas vous faites un immense bond, courant des distances considérables sans efforts, presque en volant. Pendant votre relaxation, affirmez-vous que chaque jour vous gagnez en vitesse, en force et en forme physique. Représentez-vous remportant des courses, si c'est là un de vos objectifs.

Si vous dansez, si vous pratiquez le yoga, pendant vos exercices portez votre conscience sur votre corps, sur vos muscles, imaginez qu'ils se relâchent et s'étirent et que vous devenez de plus en plus souple.

Utilisez la visualisation créatrice pour perfectionner vos capacités dans votre sport préféré. Imaginez que vous devenez de plus en plus accompli, jusqu'à ce que vous atteigniez vraiment la perfection.

Traitement de beauté

Faites régulièrement le nécessaire pour vous convaincre que vous prenez soin de vous, de votre corps. La visualisation créatrice peut transformer une routine quotidienne en un rituel de beauté.

Par exemple, prenez une douche ou un bain chaud et imaginez la valeur relaxante de l'eau chaude ainsi que ses vertus apaisantes et curatives. Représentez-vous tous les problèmes en train de fondre, ou entraînés par l'eau, laissant enfin s'exprimer votre rayonnement naturel.

Enduisez-vous le corps, le visage de lotion ou d'huile en vous accordant beaucoup d'attention, affirmant que votre peau devient plus douce et plus belle chaque jour. Lorsque vous lavez vos cheveux, soyez conscient de ce que vous faites et affirmez que votre chevelure est plus épaisse, brillante, pleine de vitalité. Quand vous vous brossez les dents, dites-vous mentalement qu'elles sont résistantes, saines et belles. Et ainsi de suite.

Le rituel des repas

De nombreuses personnes entretiennent des concepts négatifs au sujet de la nourriture, craignant de grossir ou de tomber malades. Cependant, nous ne pouvons nous empêcher de continuer à manger ces mêmes aliments dont nous nous défions, créant ainsi des tensions et des conflits intérieurs, et provoquant finalement les effets redoutés : obésité, maladie.

D'autre part, bien des gens sont tellement inconscients lorsqu'ils mangent, occupés à parler et à penser à autre chose, qu'ils n'arrivent pas à percevoir le goût délicieux et agréable de la nourriture, ni d'ailleurs à saisir son aspect nutritif.

Manger est véritablement un rituel magique, un étonnant processus de transformation des différentes formes et énergies de l'univers en l'énergie

physique de notre corps. Tout ce que nous disons
ou pensons pendant le repas prend part à cette
alchimie.

Voici un rituel à pratiquer au moins une fois
par jour, peu importe ce que vous mangez:

*Asseyez-vous face à votre nourriture. Fermez
les yeux quelques instants, détendez-vous et respirez profondément. Remerciez silencieusement
l'univers pour cette nourriture et remerciez également tous ceux qui lui ont permis d'être devant
vous, c'est-à-dire aussi bien les plantes et les animaux que les personnes qui l'ont cultivée et pré-
parée.*

*Ouvrez les yeux et regardez la nourriture,
observez-la, humez-la et commencez à manger lentement, consciemment, en la dégustant. Pendant
que vous mangez, dites-vous mentalement que
cette nourriture est transformée en énergie vitale
pour vous. Dites-vous que votre corps utilise tout
ce dont il a besoin et élimine facilement tout ce
qui lui est inutile. Voyez-vous devenir plus sain et
plus beau après avoir absorbé cette nourriture.
Faites cela sans considération de toute idée anté-
rieure concernant la qualité et les effets des aliments.*

*Si possible, mangez lentement et lorsque vous
avez terminé, prenez quelques instants pour apprécier la chaleur agréable émanant de votre estomac
lorsqu'il est satisfait et content .*

Plus vous penserez à communiquer avec votre
nourriture, plus elle vous apportera de santé et de
beauté.

Voici un autre rituel, encore plus simple:

Avant d'aller au lit, ou lorsque vous vous levez, ou pendant la journée, versez-vous un grand verre d'eau fraîche. Asseyez-vous, détendez-vous et buvez lentement. Tout en buvant, dites-vous que cette eau est l'élixir de vie, la fontaine de jouvence. Imaginez que l'eau lave toute impureté et vous apporte énergie, vitalité, beauté et santé.

Voici quelques bonnes affirmations concernant la santé et la beauté :

Chaque jour je suis plus beau et en meilleure santé !

Tout ce que je fais enrichit ma santé et ma beauté.

Tout ce que je mange m'apporte plus de beauté, de santé, de minceur et de charme.

Je suis bon envers mon corps, et mon corps est bon pour moi.

Désormais, je suis svelte, fort et en parfaite condition quoi que je fasse.

Chaque jour m'apporte davantage de force et de puissance.

Maintenant je ne désire plus manger que ce qui me convient à chaque moment.

Plus je m'aime et plus je m'apprécie, plus je deviens beau.

J'exerce maintenant une attraction irrésistible sur les hommes (ou les femmes).

Visualisation
créatrice en groupe

Un grand nombre des techniques décrites dans ce livre peuvent facilement être adaptées pour une pratique de groupe. La visualisation créatrice est particulièrement efficace en groupe, car l'énergie collective lui donne automatiquement plus de puissance. L'énergie de chacun tend à soutenir celle des autres, et alors le tout devient plus que la somme de ses parties.

Peu importe la nature du groupe dans lequel vous vous trouvez ; qu'il s'agisse de votre famille, d'amis, d'un groupe de travail ou d'action sociale, d'un groupe spirituel ou religieux, d'un atelier ou d'une classe, la visualisation créatrice vous donnera les moyens d'atteindre les objectifs visés, ou simplement d'établir un profond climat d'entente mutuelle.

Voici quelques techniques praticables en groupe :

Chanter et psalmodier. Choisissez des chansons qui expriment un sentiment, une idée ou une attitude que vous voulez créer ou cultiver en vous-mêmes et dans le monde. La musique produit des changements réels et profonds.

Méditer et imaginer. Choisissez un but ou une image et que chacun médite en silence, visualisant et affirmant ensemble. Les résultats vous surprendront.

Carte du trésor. Que chacun dresse sa propre carte pour un but commun, ou bien créez une carte collectivement. Vous pouvez également désigner un comité qui établira la carte !

Affirmations. Pratiquez les affirmations avec des partenaires comme nous l'avons déjà vu dans le chapitre traitant des affirmations. Le groupe peut également faire des affirmations collectives à haute voix.

Guérir. Guérir en groupe est une merveilleuse expérience. Consultez le chapitre sur les méditations curatives.

Visualisation créatrice et relations

La visualisation créatrice peut améliorer nos relations humaines, c'est là un de ses bénéfices majeurs. Un grand nombre de sensations et d'impressions passent entre les êtres humains, et nous sommes particulièrement sensibles et réceptifs aux formes pensées que nous émettons les uns à l'égard des autres. Nos relations sont faites de ces formes pensées et des attitudes sous-jacentes qu'elles reflètent, et la réussite ou l'échec de nos rapports avec autrui en dépend directement.

Dans nos relations, comme partout ailleurs, nous obtenons exactement ce à quoi nous croyons, ce que nous attendons et « demandons » au plus profond de nous. Ceux que nous côtoyons ont toujours des miroirs reflétant nos pensées, et nous-mêmes sommes pour eux des miroirs qui leur renvoient leur propre image. Nos relations sont aussi un des moyens d'évolution les plus puissants. Si nous avons un regard honnête sur nos rapports avec les autres, nous pouvons apprendre beaucoup sur la façon dont nous les avons créés.

Endossez totalement la responsabilité de vos relations. Acceptez, ne serait-ce qu'un instant, l'entière responsabilité de la qualité et de la nature de la relation que vous vivez sans vous préoccuper de la part de responsabilité revenant à l'autre. Si, par certains côtés, la relation que vous partagez avec quelqu'un n'est pas entièrement satisfaisante, demandez-vous pourquoi vous l'avez créée ainsi. Cherchez en vous les principes fondamentaux qui vous poussent à vivre une relation pas tout à fait satisfaisante, heureuse, débordante d'amour. Qu'est-ce que cela vous apporte d'entretenir autour de vous un climat de malheur ? (Tout ce que nous faisons nous apporte quelque chose, sinon nous ne le ferions pas).

Si vous *désirez* sincèrement vivre des relations profondément satisfaisantes et heureuses, si vous *pensez vraiment* que c'est possible, si vous êtes prêt à *accepter* le bonheur et la satisfaction, alors vous avez tout en mains pour établir des relations réussies et vous le ferez.

Voici quelques conseils pour vous aider dans ce sens :

1. Considérez la finalité de votre relation avec l'autre. Que voulez-vous vraiment en tirer ? Prenez en considération tous les niveaux — physique,

émotionnel, mental et spirituel. Ecrivez les détails d'un tableau idéal ou élaborez une carte du trésor pour exprimer votre vision parfaite de cette relation.

2. Faites le point en toute honnêteté sur les préjugés et les attitudes qui vous empêchent de créer ce que vous désirez. Le processus d'éclaircissement peut vous aider à cerner vos attitudes restrictives. Par exemple, vous pouvez écrire : « La raison pour laquelle je ne peux vivre une relation parfaite avec _____ est... », ou bien : « La raison pour laquelle je ne peux avoir ce que je veux dans cette relation est... », et écrivez toutes les réponses qui vous viennent à l'esprit.

3. Pratiquez l'affirmation et la visualisation pour modifier vos credos négatifs et pour commencer à concevoir et à établir des relations plénifiantes, belles, reposant sur l'amour.

4. La technique qui consiste à pratiquer les affirmations avec un partenaire peut souvent aider à améliorer une relation de façon spectaculaire. Bien entendu, il est de la plus haute importance de communiquer honnêtement, en reconnaissant sincèrement ce que vous aimez ou n'aimez pas chez l'autre, et ce que vous désirez. Mais, plutôt que de s'enliser dans les critiques sur les faiblesses et les défauts des uns et des autres, accordez-vous pour vous *affirmer* réciproquement que vous progressez dans votre processus de développement et de croissance. Par exemple, au lieu de dire : « Georges, pourquoi me coupes-tu toujours la parole dès que j'ouvre la bouche ? », vous pourriez convenir de dire, à des moments opportuns : « Georges, ça me

fait plaisir de voir que tu sais de mieux en mieux écouter les autres». En procédant de la sorte, non seulement vous rappelez à Georges avec tact qu'il doit s'efforcer d'écouter les autres, mais vous commencez également à jeter sur lui un regard nouveau et à lui donner une autre image de lui-même.

Rappelez-vous que, tout comme chaque individu, chaque relation contient en elle-même la possibilité d'être parfaite. Tout le potentiel est là. Ce n'est qu'une question de le découvrir en enlevant la «poussière» qui jusqu'alors nous le cachait.

Bien trop souvent, dans nos relations avec autrui, nous nous figeons dans un rôle ou dans une image de marque, et il nous est ensuite bien difficile de nous en défaire. C'est comme si chacun s'enfermait lui-même, et enfermait les autres, dans des petites boîtes avec des étiquettes déterminées. Nous trouvons cette situation très restrictive, mais nous ne savons pas toujours très bien comment nous en sortir.

La visualisation créatrice nous fournit un moyen extraordinaire pour nous dégager de ces rôles et stéréotypes. Commencez à visualiser et à affirmer des images différentes de vous et des autres. Sachez qu'il existe en chacun, en chaque situation, tout le potentiel nécessaire pour une transformation positive, à vous de la soutenir en lui fournissant de l'énergie grâce à la visualisation créatrice.

CINQUIÈME PARTIE

Vivre de façon créatrice

*Seule la manifestation capable
d'engendrer une transformation
ou un élargissement de la conscience
est fructueuse,
car elle émane de Dieu
et le révèle plus pleinement,
en le manifestement dans une forme...*

David Spangler
Manifestation

Conscience
créatrice

La visualisation créatrice ne se résume pas seulement à une technique, c'est en fin de compte un état de conscience. La visualisation créatrice débouche sur la conscience profonde d'être à chaque instant les créateurs de notre univers, et elle nous permet d'en assumer la responsabilité à tout moment.

Il n'existe pas de séparation entre nous et Dieu ; nous sommes des expressions divines du principe créateur à ce niveau particulier d'existence. Il ne peut y avoir véritablement de manque ou de pauvreté ; nous n'avons pas besoin d'essayer d'atteindre ou d'attirer quoi que ce soit. Tout est potentiellement en nous.

Lorsque nous manifestons quelque chose par la visualisation créatrice, nous ne faisons que réaliser et rendre visible sur le plan physique notre potentiel de nature divine.

A la découverte
de notre but suprême

L'être humain éprouve un besoin fondamental d'apporter au monde une réelle contribution, d'aider son prochain et d'enrichir son existence pour vivre dans la joie. Nous avons tous, chacun à sa manière particulière et unique, beaucoup à apporter au monde et à nos frères humains. Dans une large mesure, notre sentiment de bien-être personnel est fonction du degré auquel nous parvenons à exprimer cet apport.

Nous avons tous un travail précis à accomplir durant cette vie. Il peut s'agir d'une tâche complexe ou très humble. Cette contribution, je l'appelle notre but suprême. Ce but suprême implique toujours d'être pleinement soi-même, de l'être naturellement et de faire des choses que l'on aime vraiment faire, sans effort.

Ce but suprême, nous le connaissons tous au fond de nous, seulement très souvent nous ne le reconnaissons pas consciemment, nous nous le cachons, même à nous-mêmes. A vrai dire, la plupart des gens font tout pour se le dissimuler et pour le soustraire au regard du monde. La peur les pousse à éviter le pouvoir, la responsabilité et la lumière qui émergent lorsque le véritable sens de la vie est reconnu et exprimé.

Avec la pratique de la visualisation créatrice, vous constaterez que votre but suprême vous devient plus évident et que vous commencez à le suivre. Repérez les éléments qui ont tendance à revenir dans vos rêves, vos objectifs, vos fantasmes, les qualités particulières qui se retrouvent dans ce que vous faites et créez. Voilà autant d'indices précieux pour mettre à jour le sens et la raison profonds de votre vie.

Vous verrez qu'avec la pratique de la visualisation créatrice votre succès dépendra de votre capacité à être en accord avec votre but suprême. Si, dans votre entreprise pour manifester quelque chose, vous semblez rencontrer l'échec, c'est peut-être bien que vous n'êtes pas en accord avec le véritable sens de votre vie. Soyez patient, écoutez votre guide intérieur et suivez constamment ses conseils. Lorsque vous serez amené à considérer les événements avec le recul du temps, vous verrez que tout se déroule à la perfection.

Notre planète connaît actuellement une

période de profonde transformation dans laquelle nous avons tous un rôle à jouer. Il nous suffit d'accepter d'être nous-mêmes, dans notre vérité et notre magnificence.

Votre vie
est votre œuvre d'art

J'aime me considérer comme une artiste, et ma vie est mon plus grand chef-d'œuvre. Chaque instant est créateur, et ainsi chaque instant renferme d'infinies possibilités. Je peux continuer à faire les choses comme je les ai toujours faites, mais je peux également choisir la différence, essayer quelque chose de nouveau et de virtuellement plus gratifiant. Chaque instant offre de nouvelles possibilités et demande un nouveau choix.

C'est vraiment un jeu merveilleux que nous jouons tous, une forme d'art grandiose...

Shakti Center
PO Box 377
Mill Valley, California 94942
Tél. (415) 383-1154

L'auteur

Shakti Gawain a le don de réunir l'approche rationnelle occidentale et la sagesse profonde et intuitive de l'Orient. Elle étudia la psychologie et la danse au Reed College et à l'Université de Californie. Après ses études, elle voyagea deux années durant en Europe et en Asie, se plongeant dans la philosophie orientale, la méditation et le yoga.

De retour aux USA, elle poursuivit son travail de fond sur elle-même, lisant beaucoup et étudiant avec nombre de professeurs célèbres pour leurs recherches dans le domaine des potentialités humaines. *Techniques de Visualisation Créatrice,* son livre le plus vendu, se situe à l'apogée de son exploration de la philosophie et de la psychologie.

Aujourd'hui Shakti Gawain habite Mill Valley, en Californie, où elle anime des ateliers et des cours sur la visualisation créatrice et sur des sujets connexes.

DU MÊME AUTEUR
AUX ÉDITIONS SOUFFLE D'OR

VIVEZ DANS LA LUMIERE
(240 pages FF 80.-/FS 23.-)

Dans VIVEZ DANS LA LUMIERE, Shakti Gawain fait encore un pas plus loin : elle nous fait découvrir comment, en acceptant pleinement notre intuition et en équilibrant nos pôles féminin/masculin, nous pouvons devenir « un canal du pouvoir créateur de l'Univers », et participer ainsi à la transformation du monde, en même temps qu'à la nôtre.

Alors, nous accédons à la créativité, à l'action juste, à la joie de vivre, à la paix profonde, sans même les rechercher ! La vie devient compréhensible et source de bonheur !

VIVEZ DANS LA LUMIERE est un choix intérieur à faire au quotidien : Shakti Gawain traite des domaines concrets de la vie, et partage avec nous sa propre expérience vécue !

Vente en librairie ou par correspondance chez les Editions Vivez Soleil
(32, av. Petit-Senn, CH-1225 Chêne-Bourg)

AUX EDITIONS VIVEZ SOLEIL

PRATIQUE DE LA
VISUALISATION
CREATRICE

NOUVEAU

CASSETTES SOLEIL

LA VISUALISATION CRÉATRICE
en cassette !

Le complément indispensable pour pratiquer la visualisation créatrice partout et en tout temps.
Vous y trouverez les exercices du livre de
SHAKTI GAWAIN.

SUR LE CHEVAL DES RÊVES

Deux exercices de détente profonde et de visualisation afin de vous libérer des contraintes quotidiennes et de vous permettre une régénération totale, physique et psychique.

COMPRENDRE LES MALADIES GRAVES
Christopher Vasey

L'auteur est hygiéniste-naturopathe et il propose un point de vue de sagesse et d'espoir face aux fléaux de notre époque : cancer, SIDA, sclérose en plaque, etc. Ce livre nous explique comment ces maladies apparaissent et se développent. Il met à jour la racine du problème, les causes, dont seule la suppression peut apporter une guérison véritable. Nul ne tombe malade par hasard et chacun a le pouvoir de prévenir la maladie ou de collaborer avec les traitements médicaux pour se donner les meilleures chances de guérison.
224 pages

AGIR POUR SE GUÉRIR
Dr Soleil

Une sélection de témoignages (issus de journaux, livres ou lettres) présentant les expériences de personnes atteintes de maladies graves, certaines condamnées par la médecine officielle. En recourant aux méthodes alternatives les plus diverses, mais avec pour point commun une démarche personnelle vers la santé, ces personnages ont changé leur destin. Ce livre constitue un grand message d'espoir remplaçant la fatalité par une possibilité de se ressaisir et d'entamer un processus de régénération.

196 pages, photos.

BONJOUR BONHEUR !
Ken Keyes, Jr

Ken Keyes anime aux Etats-Unis des séminaires qui permettent à des milliers de gens de transformer leur vie en découvrant la science du bonheur ; il est l'auteur de plusieurs bestsellers **(2,5 millions de livres vendus à ce jour)**.

Grâce à sa profonde connaissance de l'être humain, Ken Keyes montre les étapes à suivre pour remplacer les habitudes par la liberté, la haine par l'amour et l'ignorance par la sagesse.

Avec les douze leçons de ce livre, apprenez à cesser de programmer votre malheur et celui de vos proches. Créez un monde dans lequel le bonheur fleurit à chaque pas !

304 pages

POUR
UNE
NOUVELLE
CONSCIENCE

collection
DÉVELOPPEMENT
PERSONNEL

Editions Soleil

VAINCRE
PAR LA SOPHROLOGIE

Dr Raymond Abrezol

Une approche facile de la sophrologie. Des exercices simples pour parvenir à des niveaux de conscience profonds où la peur n'existe plus et où se révèlent d'insoupçonnables ressources individuelles capables de vaincre toutes les difficultés. Les grands problèmes de la vie abordés dans l'optique d'une application immédiate et aisée des principes de la sophrologie.

Le Dr Abrezol enseigne la sophrologie depuis de nombreuses années. Il s'est fait, en particulier, connaître grâce aux remarquables résultats obtenus par cette méthode dans le cadre du sport de compétition. Il anime de multiples séminaires pour le corps médical (sophrologie thérapeutique) ou pour le public (sophrologie de bien-être).

248 pages

AIMER C'EST SE LIBÉRER DE LA PEUR
Dr Gerald Jampolsky

Il n'y a que deux émotions : l'amour et la peur. La première est notre héritage naturel, l'autre, une création de notre esprit. Apprendre à se délivrer de la peur permet de trouver l'amour et l'harmonie.

Ce livre est un guide pratique. Ses leçons nous permettent d'appliquer chacune de ses idées-clé dans notre vie quotidienne.

154 pages

SANS PEUR ET SANS REPROCHES
Dr Gerald Jampolsky

Les reproches : nous en adressons sans cesse aux autres et à nous-mêmes, parce que le passé ne s'est pas déroulé conformément à nos souhaits.

La peur : elle ne nous quitte pas. Nous redoutons d'avoir à subir les mêmes déceptions dans un futur qui ne répondra pas davantage à nos attentes. La peur et les reproches compromettent nos relations avec les autres, notre paix intérieure et, de proche en proche, la paix du monde.

Dès l'instant où, par la correction de nos perceptions erronées, nous réussissons à vivre "sans peur et sans reproches", nous entrons dans la joie du présent, nous guérissons nos relations et nous trouvons la paix.

Gerald Jampolsky est très connu aux Etats-Unis. Ses livres apportent une grande contribution aux recherches psychologiques et spirituelles de notre époque.

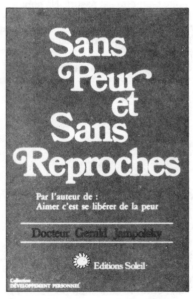

224 pages

APPRENDRE A SE NOURRIR
Dr Soleil

Les aliments – biogéniques qui engendrent la vie
                 – bioactifs qui activent la vie
                 – biostatiques qui ralentissent la vie
                 – biocidiques qui détruisent la vie

Les principes de base de la nutrition sous une forme attrayante, humoristique. Choisissez vos aliments en évitant la contrainte des régimes rigoureux et la culpabilité des erreurs répétées. Ce livre vous propose une classification des aliments selon l'énergie qu'ils apportent à votre corps ou en retirent.

Un grand classique pour une "alimentation délivrée du sectarisme"

132 pages / ill.

APPRENDRE A SE DETOXIQUER
Dr Soleil

Notre équilibre personnel peut se maintenir même dans des conditions défavorables si nos organes d'élimination fonctionnent bien. Tant que les toxines apportées par l'alimentation, l'environnement et le stress ne dépassent pas notre capacité de détoxication, notre bien-être est assuré. Ne subissons pas plus longtemps des troubles d'intoxication alors qu'il existe des méthodes faciles pour "nettoyer" notre organisme! Une explication de tous les secrets des diètes, jeûnes et autres moyens naturels pour garder ou retrouver la santé.

Pour retrouver la pureté dans son corps

118 pages / ill.

GRAINES GERMEES, JEUNES POUSSES
Dr Soleil

Une révolution dans l'alimentation !

Rien de plus simple que de les produire soi-même.
Ce livre vous explique la valeur de ces aliments et les méthodes pour les cultiver. Il montre les fantastiques ressources de santé de ces aliments de vie.
Avec une préface du Prince Sadruddin Aga-Khan.
128 pages/illustré